KUAILE HANYU
快乐汉语

编 者 李晓琪　罗青松　刘晓雨　王淑红　宣 雅

STUDENT'S BOOK

英语版

1
第二版

人民教育出版社
·北京·

总 策 划　许　琳　殷忠民　韦志榕
总 监 制　夏建辉　郑旺全
监　　制　张彤辉　顾　蕾　刘根芹
　　　　　王世友　赵晓非

编　　者　李晓琪　罗青松　刘晓雨
　　　　　王淑红　宣　雅

责任编辑　李　津
审　　稿　狄国伟　王世友
英文审稿　Sarah Miller ［美］

美术编辑　张　蓓
封面设计　金　葆
插图制作　金　葆

图书在版编目（CIP）数据

快乐汉语：英语版．第 1 册/李晓琪等编．—2 版．—北京：人民
教育出版社，2014.5（2018.7 重印）
ISBN 978 – 7 – 107 – 27894 – 5

Ⅰ．①快…　Ⅱ．①李…　Ⅲ．①汉语—对外汉语教学—教材
Ⅳ．①H195.4

中国版本图书馆 CIP 数据核字（2014）第 103860 号

快乐汉语（第二版）第一册（英语版）

出版发行　人民教育出版社
　　　　　（北京市海淀区中关村南大街 17 号院 1 号楼　邮编：100081）
网　　址　http://www.pep.com.cn
经　　销　全国新华书店
印　　刷　大厂益利印刷有限公司
版　　次　2014 年 5 月第 1 版
印　　次　2018 年 7 月第 8 次印刷
开　　本　890 毫米×1 240 毫米　1/16
印　　张　10.75
印　　数　21 001～24 000 册
定　　价　80.00 元
审 图 号　GS（2014）1159 号
Printed in the People's Republic of China

第二版前言

2003年，《快乐汉语》系列教材由人民教育出版社出版，适时地满足了海内外中小学国际汉语教材的市场需求，受到了广大使用者的普遍欢迎，同时也得到了同行们的广泛认同。作为编写者，我们由衷地感到欣慰。十年过去了，随着时代的发展，中文教学进入了一个新的阶段，《快乐汉语》教材也需要与时俱进，及时修订。在国家汉办的指导下，编写组的全体成员认真分析了来自世界各地的使用者的修订意见和建议，参考了《HSK考试大纲》、《新中小学生汉语考试（YCT）大纲》、新版GCSE以及其他国家的汉语课程标准，再度与人民教育出版社密切合作，推出了全新的《快乐汉语》（第二版）系列教材。第二版在保留第一版寓教于乐的核心理念与基本特色的基础上，重点在以下方面进行了改进：

第一，坚持以培养学习者的交际能力为教学目标和教学理念，为青少年儿童提供寓教于乐的听、说、读、写、译五个方面的汉语学习资源。为此，《快乐汉语》（第二版）适当地补充了学习内容，增加了词汇量，使之更贴近和符合HSK大纲、YCT大纲及《国际汉语教学通用课程大纲》的要求。第一册单词量为173个，句型93个，达到HSK一级的要求；完成第二册的学习后，总词汇量为430个，句型216个，达到HSK二级的要求；完成第三册的学习后，总词汇量为804个，句型339个，达到HSK三级的要求。

第二，语言是桥梁，是工具，学习汉语的重要目的是帮助学习者了解和掌握基本的中国文化知识及具备一定的跨文化交际能力。为此，编写组在第二版的编写中着力考虑如何加大文化知识的内容，特别是在学生用书中体现出生动丰富的文化内涵。第二版学生用书的每个单元都增加了中国文化专题页，文化页以反映本单元主题的图画、照片和实物为展示主体，配以简短的英文说明。文化页的内容选择，既充分考虑到中华传统文化的精髓，也特别关注当代中国的发展，还注意到该年龄段学习者的兴趣取向，努力做到几方面的完美结合。教师用书对相应主题的文化知识进行拓展和延伸，以帮助教师教学。此外，教师用书中原则上每课仍然保留一个与本课学习内容相关的文化点。

第三，近十多年来，第二语言教学法不断发展，注重语言交际能力的培养已经成为学界的共识。为突显这一点，《快乐汉语》（第二版）在每课课前增设了"学习目标"，帮助教师和学生更好地掌握本课的主要学习内容和学习重点。学习目标的制订以培养学习者使用汉语进行听说读写、交换信息、表达观点与感受以及对事情的理解为原则；帮助学习者将汉语课程与其他课程的领域及内容相结合，为未来进一步获取汉语知识、开阔国际视野打下基础；同时，学习目标也注意培养学生在课内、课外、社区乃至社会，根据不同的场合合理使用汉语的能力，实现交际能力的培养与实际生活中的汉语运用紧密结合。

第四，《快乐汉语》（第二版）配备的学生练习册题量比较充足，每课均在十个或十个以上。练习的种类比较齐备，涵盖听、说、读、写、译五个方面。练习的方式多种多样，题目的设定多带有游戏的意味，活泼又具挑战性。特别要说明的是，练习的设定始终遵循从机械性练习向有意义的练习过渡的原则，在此基础上逐渐实现练习的最终目的——帮助学习者增长汉语知识，激发学习动力，提高其运用汉语进行交际的能力。

第五，在听取使用者意见的基础上，为更好地体现教材由浅入深、循序渐进的原则，语音的学习与使用采用阶梯型设计：第一册为基础语音学习与训练阶段；第二册为巩固与过渡阶段；为逐步提高学习者的汉字阅读能力，第三册主课文和部分练习不再标注拼音。希望通过这样的设置，全面提高学习者的汉语能力。

第六，一部内容充实、丰富、好用的教材，应该有与之相应的外观和表现形式。《快乐汉语》（第二版）启用时尚的版式设计和插图绘制风格，增加实景照片，加强亲和力，使教材更贴近当代生活，更具有时代气息，更符合青少年的兴趣。

由于本次修订的时间比较紧，第二版可能还会有不尽如人意的地方，我们诚恳地希望广大使用者能够给予指正。最后，我们真诚地希望，以上的努力能够吸引更多的青少年汉语学习者使用《快乐汉语》系列教材，与我们一起分享学习汉语的快乐与成功，在汉语文化的天空自由飞翔！

编　者
2014年4月

Foreword
(to the Second Edition)

The first edition of the *Kuaile Hanyu* textbook series was published in 2003 by the People's Education Press in response to the demand at home and abroad for primary and secondary school Chinese textbooks. The authors were pleased by the series' good reception among the users of the textbooks and also among their peers. However, in the past ten years, as Chinese language teaching has entered a new phase, it has become clear that *Kuaile Hanyu* should be revised to keep up with the changing times. With the assistance of the Hanban (Confucius Institute Headquarters), the *Kuaile Hanyu* authors analyzed opinions and suggestions offered by users of the series from around the world. The authors also consulted the *HSK Outline*, the *New Youth Chinese Test (YCT) Outline,* the new UK GCSE and the Chinese language education criteria of several other countries to produce this second edition of the *Kuaile Hanyu* series, again in cooperation with the People's Education Press.

The second edition has maintained the core ideas and fundamental characteristics of the first edition while improving or enhancing emphasis of the following areas. The first major goal of this second edition is to provide learning materials which emphasize the development of students' communicative competence in five key areas: listening, speaking, reading, writing, and translation. For this reason, the second edition has enriched its content and increased its vocabulary requirements to conform to the *New HSK Outline*, the *New YCT Outline*, and the *New International Curriculum for Chinese Language Education*. After finishing Book 1 of *Kuaile Hanyu*, which covers 173 words and 93 sentence patterns, students should be ready to pass Level 1 of the HSK. Upon completion of Book 2, the students will have acquired a total vocabulary of 430 words and 216 sentence patterns, which should enable them to pass HSK Level 2. By the end of Book 3, the students will have mastered a total of 804 words and 339 sentence patterns, preparing them to pass HSK Level 3.

The second major goal of this second edition is to present Chinese as a bridge for students to understand basic Chinese culture and as a general tool for acquiring the ability to communicate across cultures. To this end, the *Kuaile Hanyu* authors have included more information about Chinese culture than in the first edition, especially in the student's books. Each unit in the student's books has a "Chinese Culture" section, which presents a different aspect of Chinese culture, related to the topic of the unit, with pictures and a brief English description. These "Chinese Culture" sections try to achieve a good balance by covering both the essence of traditional Chinese culture and also the development of contemporary China, taking into consideration the interests of young students. The teacher's books still provide additional information on the topics to facilitate teaching, with the second edition of the teacher's books providing further information in particular on the "Chinese Culture" point for each lesson.

Third, to keep up with the rapid development of second language teaching methods over the past decade and also with the current general consensus in academia to focus on language communicative competence, the second edition presents "learning objectives" before each lesson to help teachers and students grasp the lesson content and key points more clearly. The learning objectives are set with the goal of developing students' basic abilities in listening, speaking, reading, and writing, as well as exchanging information, expressing opinions and feelings, and improving general comprehension. The objectives help students to combine the content of their Chinese language course with their other courses, laying a foundation for further Chinese learning and helping students gain a broader international vision for the future. The learning objectives also emphasize the training of students to use Chinese appropriately in class, outside class, in the community, and in society, so that they can integrate their communicative competence with real life situations.

The fourth goal of this new edition is to improve the exercise book by increasing the number and quality of the exercises. Every lesson has ten or more well-designed exercises for practicing listening, speaking, reading, writing, and translation. The activities are varied, fun, interesting and challenging, ranging from mechanical practice to meaningful practice and designed to expand the students' knowledge, increase their motivation, and improve their ability to communicate in Chinese.

The fifth goal, based on feedback from users of the first edition, is to adopt a "step-by-step" principle for the Chinese phonetic system, using a more gradual, progressive manner of presentation: Book 1 focuses on basic phonetic training; Book 2 aims to consolidate the students' knowledge and prepare them for further learning; Book 3 no longer provides *pinyin* with the articles and some exercises, in order to improve students' reading ability. The authors hope that this design will develop students' Chinese competence in a more comprehensive manner.

The sixth goal of the new edition is, like any useful textbook, to have an appealing appearance to match the enriched content. The new edition features an updated layout design and illustration style. Photos of realistic scenes have also been added to keep the series up to date with modern life and the interests of teenagers.

Due to the limited time for revision, the second edition may be less than perfect, and so the authors would welcome criticisms and corrections. Finally, the authors sincerely hope that more young people will find *Kuaile Hanyu* an appealing textbook series and come to share in the joy and success of learning Chinese!

Authors

April, 2014

第一版前言

语言是人类沟通信息、交流思想最直接的工具，是人们交流、交往的桥梁。随着中国的发展，近些年来世界上学习汉语的人越来越多，很多国家从小学、中学就开始了汉语教学。为了配合这一趋势，满足世界上中小学汉语教学对教材的需求，国家汉办／孔子学院总部立项并委托我们为母语为英语的中学生编写了《快乐汉语》系列教材。

《快乐汉语》系列教材分为三个等级，每级包括学生用书和配套的教师用书、练习册，另外还配有词语卡片、教学挂图、CD等。该教材从设计、编写到制作出版，每一方面都力图做到符合11—16岁学生的心理特点和学习需求，符合有关国家教学大纲的规定。教材重点培养学生在自然环境中学习汉语的兴趣和汉语交际能力，同时能够为以后继续学习和提高打下坚实的基础。

我们希望这套教材能使每一个想学习汉语的学生都对汉语产生浓厚的兴趣，使每一个已经开始学习汉语的学生感到，汉语并不难学，学习汉语实际上是一种轻松愉快的活动和经历，并真正让每个学生在快乐的学习中提高自己的汉语能力，掌握通往中国文化宝库的金钥匙。我们也希望广大教师都愿意使用这套教材，并与中国同行建立起密切的联系。

最后，我们祝愿所有学习汉语的学生都取得成功！

编　者

2003年7月14日

Foreword
(to the First Edition)

Language is the most direct way for mankind to communicate information and exchange ideas, and therefore serves as a bridge between different peoples and cultures. The Chinese language has begun to enjoy increasing popularity around the world, spreading with the development of China. Chinese language courses are offered as early as primary school or junior middle school in many countries. To meet the need for Chinese textbooks suitable for primary and junior middle school students, a project was begun by Hanban (Confucius Institute Headquarters), and we were entrusted with the work of compiling *Kuaile Hanyu*, a series of Chinese textbooks for junior middle school students in English-speaking countries.

Kuaile Hanyu covers three levels; each level includes a student's book, a teacher's book and a workbook. In addition, there are supplementary flash cards, wall charts and CDs. The editors have made every effort to creat materials suited to the psychological conditions and needs of students aged 11 to 16, as well as meeting the requirements of foreign language criteria of certain countries. *Kuaile Hanyu* focuses both on developing communicative competence in Chinese and also on motivating the learners, so that they can form a solid foundation for further Chinese study.

It is our hope that *Kuaile Hanyu* will increase every learner's interest in Chinese and make learning Chinese happy and easy rather than boring and difficult. We also hope that *Kuaile Hanyu* will help learners improve their Chinese, giving them a basis for understanding Chinese culture, and that our colleagues in other countries will enjoy using *Kuaile Hanyu* and thus form a stronger connection with us.

We wish great success to learners of the Chinese language.

Authors

July 14, 2003

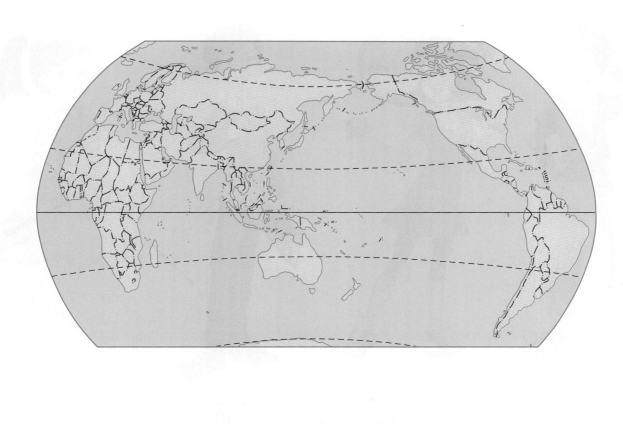

Xiǎohǎi
小海

Lìli
丽丽

Míngming
明明

Xiǎohóng
小红

Ann

Jim

Mary

Mike

社交用语 Social Greetings

Nǐ hǎo!
你好！　　Hello!

Dàjiā hǎo!
大家好！　　Hello, everyone!

Wǎnshang hǎo!
晚上好！　　Good evening!

Wǎn'ān.
晚安。　　Good night.

Zàijiàn.
再见。　　Goodbye.

Míngtiān jiàn.
明天见。　　See you tomorrow.

Qǐngwèn…
请问……　　Excuse me, ...

Xièxie!
谢谢！　　Thank you!

Duìbuqǐ.
对不起。　　I'm sorry.

Méi guānxi.
没关系。　　It's all right.

课堂用语 Classroom Expressions

Zǎoshang hǎo!
早上好！　　Good morning!

Lǎoshī hǎo!
老师好！　　Hello, Miss/Sir!

Tóngxuémen hǎo!
同学们好！　　Hello, everyone!

Xiànzài shàngkè.
现在上课。　　It's time for class now.

Gēn wǒ dú.
跟我读。　　Read with me.

Zài shuō yí biàn.
再说一遍。　　Once again, please.

Xiūxi yíhuìr.
休息一会儿。　　Time for a break.

Xiànzài xiàkè.
现在下课。　　Class is over.

普通话声母韵母拼合总表
Combinations of Initials and Finals

韵母 声母	a	o	e	-i [1]	-i [ʅ]	er	ai	ei	ao	ou	an	en	ang	eng	ong	i	ia	iao	ie
	a	o	e			er	ai	ei	ao	ou	an	en	ang	eng		yi	ya	yao	ye
b	ba	bo					bai	bei	bao		ban	ben	bang	beng		bi		biao	bie
p	pa	po					pai	pei	pao	pou	pan	pen	pang	peng		pi		piao	pie
m	ma	mo	me				mai	mei	mao	mou	man	men	mang	meng		mi		miao	mie
f	fa	fo						fei		fou	fan	fen	fang	feng					
d	da		de				dai	dei	dao	dou	dan	den	dang	deng	dong	di	dia	diao	die
t	ta		te				tai		tao	tou	tan		tang	teng	tong	ti		tiao	tie
n	na		ne				nai	nei	nao	nou	nan	nen	nang	neng	nong	ni		niao	nie
l	la		le				lai	lei	lao	lou	lan		lang	leng	long	li	lia	liao	lie
g	ga		ge				gai	gei	gao	gou	gan	gen	gang	geng	gong				
k	ka		ke				kai	kei	kao	kou	kan	ken	kang	keng	kong				
h	ha		he				hai	hei	hao	hou	han	hen	hang	heng	hong				
j																ji	jia	jiao	jie
q																qi	qia	qiao	qie
x																xi	xia	xiao	xie
zh	zha		zhe		zhi		zhai	zhei	zhao	zhou	zhan	zhen	zhang	zheng	zhong				
ch	cha		che		chi		chai		chao	chou	chan	chen	chang	cheng	chong				
sh	sha		she		shi		shai	shei	shao	shou	shan	shen	shang	sheng					
r			re		ri				rao	rou	ran	ren	rang	reng	rong				
z	za		ze	zi			zai	zei	zao	zou	zan	zen	zang	zeng	zong				
c	ca		ce	ci			cai		cao	cou	can	cen	cang	ceng	cong				
s	sa		se	si			sai		sao	sou	san	sen	sang	seng	song				

(1) "知、蚩、诗、日、资、雌、思"等七个音节的韵母用 i，即：知、蚩、诗、日、资、雌、思等字拼作 zhi, chi, shi, ri, zi, ci, si。

(2) i 行的韵母，前面没有声母的时候，写成：yi（衣），ya（呀），ye（耶），yao（腰），you（忧），yan（烟），yin（因），yang（央），ying（英），yong（雍）。

　　u 行的韵母，前面没有声母的时候，写成：wu（乌），wa（蛙），wo（窝），wai（歪），wei（威），wan（弯），wen（温），wang（汪），weng（翁）。

iou	ian	in	iang	ing	iong	u	ua	uo	uai	uei	uan	uen	uang	ueng	ü	üe	üan	ün
you	yan	yin	yang	ying	yong	wu	wa	wo	wai	wei	wan	wen	wang	weng	yu	yue	yuan	yun
	bian	bin		bing		bu												
	pian	pin		ping		pu												
miu	mian	min		ming		mu												
						fu												
diu	dian			ding		du		duo		dui	duan	dun						
	tian			ting		tu		tuo		tui	tuan	tun						
niu	nian	nin	niang	ning		nu		nuo			nuan				nü	nüe		
liu	lian	lin	liang	ling		lu		luo			luan	lun			lü	lüe		
						gu	gua	guo	guai	gui	guan	gun	guang					
						ku	kua	kuo	kuai	kui	kuan	kun	kuang					
						hu	hua	huo	huai	hui	huan	hun	huang					
jiu	jian	jin	jiang	jing	jiong										ju	jue	juan	jun
qiu	qian	qin	qiang	qing	qiong										qu	que	quan	qun
xiu	xian	xin	xiang	xing	xiong										xu	xue	xuan	xun
						zhu	zhua	zhuo	zhuai	zhui	zhuan	zhun	zhuang					
						chu	chua	chuo	chuai	chui	chuan	chun	chuang					
						shu	shua	shuo	shuai	shui	shuan	shun	shuang					
						ru	rua	ruo		rui	ruan	run						
						zu		zuo		zui	zuan	zun						
						cu		cuo		cui	cuan	cun						
						su		suo		sui	suan	sun						

　　ü 行的韵母，前面没有声母的时候，写成：yu（迂），yue（约），yuan（冤），yun（晕），ü 上两点省略；ü 行的韵母跟声母 j，q，x 拼的时候，写成：ju（居），qu（区），xu（虚），ü 上两点也省略；但是跟声母 n，l 拼的时候，仍然写成：nü（女），lü（吕）。

　　(3) iou，uei，uen 前面加声母的时候，写成：iu，ui，un。例如：niu（牛），gui（归），lun（论）。

　　(4) 在给汉字注音的时候，为了使拼式简短，ng 可以省作 ŋ。

目 录 CONTENTS

第一单元 我和你 *Unit One You and I*

第一课 你好   2

第二课 你叫什么   5

第三课 你家在哪儿   9

- 单元小结   13
- Chinese Culture   14

第二单元 我的家 *Unit Two My Family*

第四课 爸爸、妈妈   16

第五课 我有一只小猫   22

第六课 我家不大   28

- 单元小结   33
- Chinese Culture   34

第三单元 饮 食 *Unit Three Food*

第七课 喝牛奶，不喝咖啡   36

第八课 我要苹果，你呢   41

第九课 我喜欢海鲜   47

- 单元小结   51
- Chinese Culture   52

第四单元 学校生活　　Unit Four　School Life

第十课 中文课　　54
第十一课 我们班　　59
第十二课 我去图书馆　　64
● 单元小结　　69
● Chinese Culture　　70

第五单元 时间和天气　　Unit Five　Time and Weather

第十三课 现在几点　　72
第十四课 我的生日　　76
第十五课 今天不冷　　80
● 单元小结　　85
● Chinese Culture　　86

第六单元 工　作　　Unit Six　Jobs

第十六课 他是医生　　88
第十七课 他在医院工作　　93
第十八课 我想做演员　　99
● 单元小结　　105
● Chinese Culture　　106

第七单元 爱 好　*Unit Seven　Hobbies*

第十九课 你的爱好是什么 108

第二十课 你会打网球吗 113

第二十一课 我天天看电视 118

- 单元小结 123
- Chinese Culture 124

第八单元 交通和旅游　*Unit Eight　Transport and Travel*

第二十二课 这是火车站 126

第二十三课 我坐飞机去 133

第二十四课 汽车站在前边 139

- 单元小结 144
- Chinese Culture 145

- 词语表 146
- 写字笔顺规则表 152

Unit One　　You and I

第一单元　我和你

第一课　你　好

Learning Objectives

- Exchange greetings.
- Distinguish and pronounce three finals (a, o, e) with the correct tones.

New Words

1. 你 (nǐ) you
2. 好 (hǎo) good, fine
3. 你好 (nǐ hǎo) hello
4. 吗 (ma) (a modal particle, indicating a question)
5. 我 (wǒ) I, me
6. 很 (hěn) very

Sentence Patterns

1. 你好! (Nǐ hǎo!)
2. 你好吗? (Nǐ hǎo ma?)
3. 我很好。 (Wǒ hěn hǎo.)

 1. Listen and repeat.

 2. Read aloud.

你好! (Nǐ hǎo!)   你好吗? (Nǐ hǎo ma?)   我很好。 (Wǒ hěn hǎo.)

 3. Make dialogues.

1) Answer your teacher's greetings.
2) Make dialogues greeting your classmates.

 4. Read and match.

1) 你 (nǐ)   2) 我 (wǒ)   3) 很 (hěn)   4) 好 (hǎo)

a) good, fine   b) very   c) you   d) I, me

5. Translate the following sentences.

Nǐ hǎo!
1) 你好!

Nǐ hǎo ma?
2) 你好吗?

Wǒ hěn hǎo.
3) 我很好。

 6. Practice the pronunciation of these sounds.

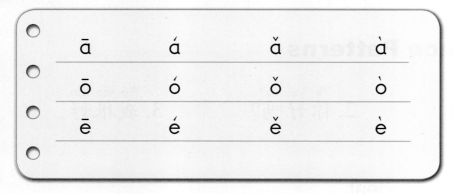

ā	á	ǎ	à
ō	ó	ǒ	ò
ē	é	ě	è

7. Circle the final that you hear.

a   o   o   e   a   e

8. Write the characters.

第二课　你叫什么

Learning Objectives

- Ask about someone's name and nationality.
- Distinguish and pronounce three finals (i, u, ü) with the correct tones.

New Words

1. jiào 叫 to call; to be called
2. shénme 什么 What...?
3. shì 是 to be
4. nǎ 哪 Which...?
5. guó 国 nation, country
6. rén 人 person, people
7. Zhōngguó 中国 China
8. Yīngguó 英国 the UK
9. Měiguó 美国 the USA

Sentence Patterns

1. Nǐ jiào shénme? 你叫什么？
2. Wǒ jiào Lǐ Xiǎolóng. 我叫李小龙。
3. Nǐ shì nǎ guó rén? 你是哪国人？
4. Wǒ shì Zhōngguórén. 我是中国人。

1. **Number the words in the order that you hear.**

jiào	Yīngguó	Zhōngguó	guó
to call _____	the UK _____	China _____	nation, country _____

Měiguó	shénme	shì	nǎ	rén
the USA _____	What...? _____	to be _____	Which...? _____	people ①___

2. **Read aloud.**

shénme 什么	jiào shénme 叫什么	Nǐ jiào shénme? 你叫什么？	Wǒ jiào Lǐ Xiǎolóng. 我叫李小龙。

Zhōngguó 中国	Yīngguó 英国	Měiguó 美国	nǎ guó 哪国	nǎ guó rén 哪国人

Nǐ shì nǎ guó rén? 你是哪国人？

Wǒ shì Zhōngguórén. 我是中国人。	Wǒ shì Yīngguórén. 我是英国人。	Wǒ shì Měiguórén. 我是美国人。

3. Number the pictures in the order that you hear.

_____ _____ _____ ①_____

4. Make dialogues.

5. Read and match.

1) 叫 *jiào*
2) 是 *shì*
3) 哪 *nǎ*
4) 人 *rén*
5) 什么 *shénme*
6) 中国 *Zhōngguó*
7) 英国 *Yīngguó*
8) 美国 *Měiguó*

a)
b) Which...?
c) What...?
d)
e)
f) to call; to be called
g)
h) to be

6. Translate the following sentences.

Nǐ jiào shénme?
1) 你叫什么？

Wǒ jiào Lǐ Xiǎolóng.
2) 我叫李小龙。

Nǐ shì nǎ guó rén?
3) 你是哪国人？

Wǒ shì Zhōngguórén.
4) 我是中国人。

 7. Practice the pronunciation of these sounds.

ī	í	ǐ	ì
ū	ú	ǔ	ù
ǖ	ǘ	ǚ	ǜ

8. Circle the final that you hear.

i   u   u   ü   i   ü

9. Write the characters.

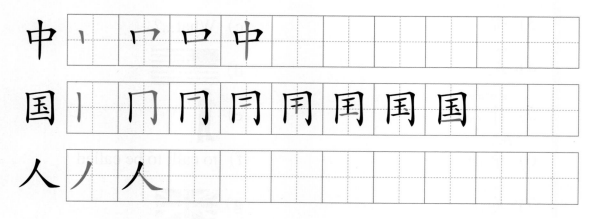

第三课　你家在哪儿

Learning Objectives

- Ask about where someone lives.
- Distinguish and pronounce four initials (b, p, m, f) and the finals that go with them to make syllables.

Nǐ jiā zài nǎr?
你家在哪儿?

Wǒ jiā zài Běijīng.
我家在北京。

New Words

1. jiā 家 home
2. zài 在 to be in/at/on
3. nǎr 哪儿 Where...?
4. Běijīng 北京 Beijing
5. Shànghǎi 上海 Shanghai
6. Xiānggǎng 香港 Hong Kong
7. tā 他 he, him

Sentence Patterns

1. Nǐ jiā zài nǎr? 你家在哪儿？
2. Wǒ jiā zài Běijīng. 我家在北京。

 1. Number the cities in the order that you hear.

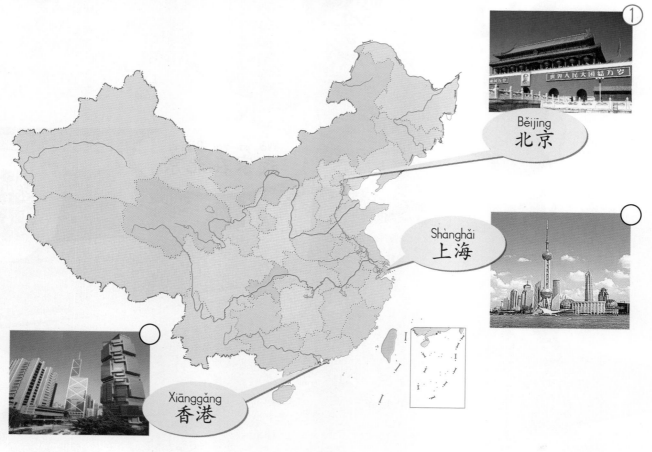

2. Read aloud.

jiā
家

wǒ jiā
我家

nǐ jiā
你家

tā jiā
他家

nǎr
哪儿

zài nǎr
在哪儿

Běijīng
北京

Shànghǎi
上海

Xiānggǎng
香港

Nǐ jiā zài nǎr?
你家在哪儿？

Wǒ jiā zài Běijīng.
我家在北京。

Tā jiā zài nǎr?
他家在哪儿？

Tā jiā zài Shànghǎi.
他家在上海。

 3. Listen and match.

Míngming   Xiǎohóng   Lìli

Shànghǎi
上海

Běijīng
北京

Xiānggǎng
香港

 4. Make dialogues.

Nǐ jiā zài nǎr?
你家在哪儿？

Wǒ jiā zài…
我家在……

 5. Fill in the blanks.

1) 家 jiā e)   2) 在 zài __   3) 他 tā __

4) 北京 Běijīng __   5) 上海 Shànghǎi __

6) 香港 Xiānggǎng __   7) 哪儿 nǎr __

a) he, him   b)

c)   d) to be (in/at/on)

e)   f)   g) Where...?

11

6. Translate the following sentences.

Nǐ shì nǎ guó rén?
1) 你是哪国人？

Wǒ shì Zhōngguórén.
2) 我是中国人。

Nǐ jiā zài nǎr?
3) 你家在哪儿？

Wǒ jiā zài Běijīng.
4) 我家在北京。

Tā jiā zài nǎr?
5) 他家在哪儿？

Tā jiā zài Shànghǎi.
6) 他家在上海。

 7. Practice the pronunciation of these sounds.

b:	bā	bá	bǎ	bà	bū	bú	bǔ	bù
p:	pā	pá	pǎ	pà	pū	pú	pǔ	pù
m:	mā	má	mǎ	mà	mū	mú	mǔ	mù
f:	fā	fá	fǎ	fà	fū	fú	fǔ	fù

 8. Circle the syllables that you hear.

bā pā   bǔ pǔ   pá fá   mù pù

bá bǎ   pú pù   mū mú   fā fǎ

 9. Write the characters.

我 ノ 二 于 手 我 我 我

在 一 ナ 才 在 在 在

北 丨 十 土 北 北

京 丶 一 亠 产 古 宁 京 京

单元小结

1. 你好！	
2. 你好吗？	
3. 我很好。	
4. 某人＋叫＋什么？	例句：你叫什么？ 他叫什么？
5. 某人＋叫＋名字	例句：我叫Mary。 他叫李小龙。
6. 某人＋是＋哪国人？	例句：你是哪国人？ 他是哪国人？
7. 某人＋是＋国家＋人	例句：我是中国人。 他是英国人。
8. 某人＋家＋在＋哪儿？	例句：你家在哪儿？ 他家在哪儿？
9. 某人＋家＋在＋某地	例句：我家在英国。 他家在北京。
10. 课堂用语	老师好！　Lǎoshī hǎo! 你们好！　Nǐmen hǎo! 我们上课。　Wǒmen shàngkè. 请你说。　Qǐng nǐ shuō. 下课。　Xiàkè.

This Is China

China, located on the Asian continent, is the world's third largest country in land area. It is also home to the world's highest mountain peak. Temperatures in China can range from as low as -50°C in winter in some places to as high as 49°C in summer in others.

With a population of more than 1.3 billion, China is the most populated country in the world. About 92% of the population is made up of the Han people, who are known for their black hair and yellow skin. *Hanyu* (the spoken language of the Han) and *Hanzi* (*Hanyu*'s written form) are commonly used by most of the country. China is also home to 55 other ethnic minorities. China has a recorded history of about 4,000 years. The People's Republic of China was established in 1949 with Beijing as the capital.

Unit Two   My Family

第二单元   我的家

第四课 爸爸、妈妈

Learning Objectives

- Introduce family members.
- Distinguish and pronounce four initials (d, t, n, l) and the finals that go with them to make syllables.

Zhè shì wǒ bàba,
这是我爸爸，
nà shì wǒ māma.
那是我妈妈。

New Words

1. 这 ^{zhè} this
2. 那 ^{nà} that
3. 爸爸 ^{bàba} father
4. 妈妈 ^{māma} mother
5. 哥哥 ^{gēge} elder brother
6. 姐姐 ^{jiějie} elder sister
7. 不 ^{bù} no; not

Sentence Patterns

1. 这是我爸爸。 Zhè shì wǒ bàba.
2. 那是我妈妈。 Nà shì wǒ māma.
3. 这是我。 Zhè shì wǒ.
4. 那不是我爸爸。 Nà bú shì wǒ bàba.
5. 这是你哥哥吗？ Zhè shì nǐ gēge ma?
6. 他是英国人吗？ Tā shì Yīngguórén ma?

 1. Mark the family members that you hear.

2. Read aloud.

zhè
这

zhè shì
这是

Zhè shì wǒ bàba.
这是我爸爸。

nà
那

nà shì
那是

Nà shì wǒ māma.
那是我妈妈。

zhè
这

zhè bú shì
这不是

Zhè bú shì wǒ bàba.
这不是我爸爸。

nà
那

nà bú shì
那不是

Nà bú shì wǒ māma.
那不是我妈妈。

3. Number the family members in the order that you hear.

①
_____   _____   _____   _____   _____

4. Fill in the blanks and read aloud.

①爸爸 bàba   ②妈妈 māma

③哥哥 gēge   ④姐姐 jiějie   ⑤我 wǒ

Zhè shì
1) 这是 _____⑤_____ 。

Zhè shì wǒ
2) 这是我 _____ 。

Nà shì wǒ
3) 那是我 _____ 。

Zhè shì wǒ
4) 这是我 _____ 。

Nà shì wǒ
5) 那是我 _____ 。

18

5. Read and match.

1) Nà shì wǒ gēge.
   那是我哥哥。
   a) This is me.

2) Zhè bú shì wǒ jiějie.
   这不是我姐姐。
   b) That is not my mother.

3) Zhè shì wǒ.
   这是我。
   c) This is not my elder sister.

4) Nà bú shì wǒ māma.
   那不是我妈妈。
   d) That is my elder brother.

 6. Complete the dialogues according to the pictures below.

1) A： Zhè shì nǐ gēge ma?
      这是你哥哥吗?

   B： Zhè shì wǒ gēge.
      这是我哥哥。

2) A： Nà shì nǐ bàba ma?
      那是你爸爸吗?

   B： Nà bú shì wǒ bàba,
      那不是我爸爸，_____。

3) A： Zhè shì nǐ māma ma?
      这是你妈妈吗?

   B： _____。

4) A： Tā shì
      他是_____?

   B： Tā bú shì Yīngguórén,
      他不是英国人，_____。

7. Make dialogues for the pictures below.

 8. Practice the pronunciation of these sounds.

d:	dā	dá	dǎ	dà	dī	dí	dǐ	dì
t:	tā	tá	tǎ	tà	tī	tí	tǐ	tì
n:	nā	ná	nǎ	nà	nī	ní	nǐ	nì
l:	lā	lá	lǎ	là	lī	lí	lǐ	lì

9. Read and write.

d – ā ⟶ dā	d – ǔ ⟶ dǔ
t – ā ⟶	t – ǔ ⟶
n – ā ⟶	n – ǔ ⟶
l – ā ⟶	l – ǔ ⟶

10. Write the characters.

这　　丶　亠　方　文　这　这

那　　𠃌　刁　刁　月　那　那

爸　　丿　八　父　父　爷　爸　爸

妈　　乚　𡿨　女　如　妈　妈

第五课 我有一只小猫

Learning Objectives

- Talk about what kind of and how many pets you have.
- Learn hand signs for numbers (1-6).
- Distinguish and pronounce three initials (g, k, h).

New Words

1. 有 yǒu to have
2. 猫 māo cat
3. 狗 gǒu dog
4. 只 zhī (a measure word)
5. 小 xiǎo small
6. 一 yī one
7. 二 èr two
8. 两 liǎng two
9. 三 sān three
10. 四 sì four
11. 五 wǔ five
12. 六 liù six

Sentence Patterns

1. 我有一只小猫。
   Wǒ yǒu yì zhī xiǎo māo.
2. 他有两只小狗。
   Tā yǒu liǎng zhī xiǎo gǒu.
3. 哥哥有一只猫、两只狗。
   Gēge yǒu yì zhī māo、liǎng zhī gǒu.
4. 爸爸、妈妈有猫吗?
   Bàba、māma yǒu māo ma?

1. Listen and fill in the blanks with the correct *pinyin*.

1) ① zhī ② ____ ③ ____ ④ ____ ⑤ ____

2) ① ____ ② ____ ③ ____ ④ ____ ⑤ ____

2. Read aloud.

猫 māo
小猫 xiǎo māo
一只小猫 yì zhī xiǎo māo
有一只小猫 yǒu yì zhī xiǎo māo
我有一只小猫。 Wǒ yǒu yì zhī xiǎo māo.

狗 gǒu
小狗 xiǎo gǒu
两只小狗 liǎng zhī xiǎo gǒu
有两只小狗 yǒu liǎng zhī xiǎo gǒu
他有两只小狗。 Tā yǒu liǎng zhī xiǎo gǒu.

3. Read and match.

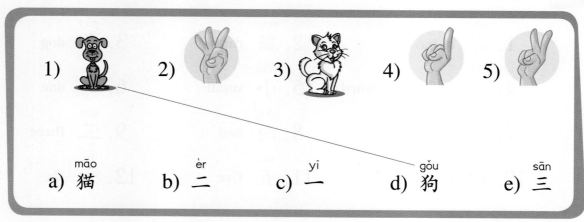

1) 🐕 2) ✌️ 3) 🐱 4) ☝️ 5) ✌️

a) māo
猫
b) èr
二
c) yī
一
d) gǒu
狗
e) sān
三

4. Listen and fill in the blanks.

Wǒyǒu yì zhī xiǎo
1) 我有一只小_____①_____。

Tā yǒu   zhī xiǎo māo.
2) 他有_____③_____只小猫。

Bàba yǒu yì zhī xiǎo
3) 爸爸有一只小_____。

Jiějie yǒu   zhī māo.
4) 姐姐有_____只猫。

Dìdi yǒu yì zhī xiǎo
5) 弟弟有一只小_____。

Mèimei yǒu   zhī māo.
6) 妹妹有_____只猫。

① ②

③ ④ ⑤

5. Decide whether these sentences are true or false.

Lǐ Xiǎolóng yǒu sān zhī gǒu.
1) 李小龙有三只狗。(✔)

Wǒ yǒu yì zhī xiǎo māo.
2) 我有一只小猫。( )

Māma yǒu sān zhī gǒu.
3) 妈妈有三只狗。(✗)

Tā yǒu liǎng zhī māo.
4) 他有两只猫。（　）

Gēge、 jiějie yǒu liù zhī gǒu.
5) 哥哥、姐姐有六只狗。（　）

Gēge yǒu yì zhī māo, liǎng zhī gǒu.
6) 哥哥有一只猫，两只狗。（　）

6. Answer the questions according to the pictures below.

Xiǎo hóng yǒu māo ma?
1) A: 小红有猫吗？

Xiǎo hóng yǒu yì zhī māo.
B: 小红有一只猫。

Ann yǒu gǒu ma?
2) A: Ann有狗吗？

B: ＿＿＿＿＿＿。

Lǐ Xiǎolóng yǒu gǒu ma?
3) A: 李小龙有狗吗？

B: ＿＿＿＿＿＿＿。

Gēge、 jiějie yǒu māo ma?
4) A: 哥哥、姐姐有猫吗？

B: ＿＿＿＿＿＿＿。

5) A:

爸爸、 妈妈有猫吗？ 有狗吗？

B: _____ 。

7. Make sentences according to the pictures below.

1)
Zhè shì wǒ.
这是我。

Wǒ yǒu …
我有……

2)
Nà shì …
那是……

Xiǎohóng yǒu…
小红有……

3)
Zhè shì tā bàba, tā bàba yǒu …
这是他爸爸，他爸爸有……

Zhè shì …, tā yǒu …
这是……，他有……

8. Practice the pronunciation of these sounds.

g:	gē	gé	gě	gè		gū	gú	gǔ	gù
k:	kē	ké	kě	kè		kū	kú	kǔ	kù
h:	hē	hé	hě	hè		hū	hú	hǔ	hù

9. Circle the syllables that you hear.

gā	kā	hā		gé	ké	hé		gǔ	kǔ	hǔ
gāi	kāi	hāi		gǎn	kǎn	hǎn		gào	kào	hào
gōu	kōu	hōu		gǒu	kǒu	hǒu		gòu	kòu	hòu

10. Write the characters.

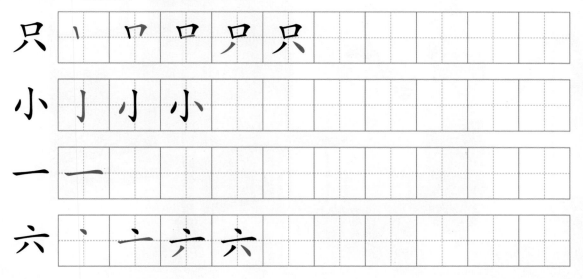

第六课　我家不大

Learning Objectives

- Talk about your house.
- Learn hand signs for numbers (7–10).
- Distinguish and pronounce three initials (j, q, x).

Tā jiā hěn dà, tā jiā yǒu shí ge fángjiān.
他家很大，他家有十个房间。

Wǒ jiā bú dà, wǒ jiā yǒu wǔ ge fángjiān.
我家不大，我家有五个房间。

New Words

fángzi 1. 房子 house	dà 2. 大 big, large	gè 3. 个 (a measure word)
fángjiān 4. 房间 room	chúfáng 5. 厨房 kitchen	qī 6. 七 seven
bā 7. 八 eight	jiǔ 8. 九 nine	shí 9. 十 ten

Sentence Patterns

Tā jiā hěn dà.
1. 他家很大。

Wǒ jiā bú dà.
2. 我家不大。

Nǐ jiā dà ma?
3. 你家大吗?

Chúfáng bù hěn dà.
4. 厨房不很大。

Tā jiā yǒu shí gè fángjiān.
5. 他家有十个房间。

1. Number the words in the order that you hear.

fángzi
1) 房子 _____①_____

gè
2) 个 _____

dà
3) 大 _____

jiā
4) 家 _____

chúfáng
5) 厨房 _____

fángjiān
6) 房间 _____

jiǔ
7) 九 _____

2. Read and match.

1) large   2) house   3) kitchen   4) small   5) room   6) ten

fángzi
a) 房子

fángjiān
b) 房间

xiǎo
c) 小

dà
d) 大

chúfáng
e) 厨房

shí
f) 十

3. Read aloud.

jiā 家	fáng 房
wǒ jiā 我家	fángjiān 房间
wǒ jiā dà 我家大	wǔ gè fángjiān 五个房间
Wǒ jiā hěn dà. 我家很大。	yǒu wǔ gè fángjiān 有五个房间
Wǒ jiā bú dà. 我家不大。	Tā jiā yǒu wǔ gè fángjiān. 他家有五个房间。

4. Fill in the blanks.

1) __b)__

2) ____

3) ____

4) ____

5) ____

6) ____

xiǎo fángjiān
a) 小房间

dà fángzi
b) 大房子

dà gǒu
c) 大狗

xiǎo fángzi
d) 小房子

xiǎo gǒu
e) 小狗

dà fángjiān
f) 大房间

5. Complete the dialogues according to the pictures below.

Ann jiā dà ma?
1) A: Ann家大吗?

Ann jiā hěn dà.
B: Ann家很大。

2) A: 丽丽家大吗?
Lìli jiā dà ma?

B: _____。

3) A: _____?

B: _____。

 6. Translate the following sentences.

1) 李小龙家有十个房间。
Lǐ Xiǎolóng jiā yǒu shí gè fángjiān.

2) Ann家有七个房间。
Ann jiā yǒu qī gè fángjiān.

3) 李小龙家很大。
Lǐ Xiǎolóng jiā hěn dà.

4) 我是中国人，我家在北京，我家不大。
Wǒ shì Zhōngguórén, wǒ jiā zài Běijīng, wǒ jiā bú dà.

 7. Complete the sentences according to the pictures below.

这是我家。
Zhè shì wǒ jiā.

我家不_____。
Wǒ jiā bù

我家有_____个_____。
Wǒ jiā yǒu gè

我家厨房_____。
Wǒ jiā chúfáng

8. Practice the pronunciation of these sounds.

j:	jī	jí	jǐ	jì	jū	jú	jǔ	jù
q:	qī	qí	qǐ	qì	qū	qú	qǔ	qù
x:	xī	xí	xǐ	xì	xū	xú	xǔ	xù

9. Circle the syllables that you hear.

jiā	qiā	xiā		jiē	qiē	xiē
jiǎn	qiǎn	xiǎn		jiǔ	qiǔ	xiǔ
jiàng	qiàng	xiàng		juē	quē	xuē

10. Write the characters.

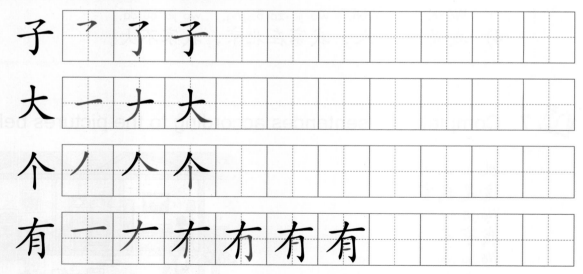

单元小结

1. 这＋（不）是＋某人	例句：这是我。 这是我爸爸。 这不是我哥哥。
2. 那＋（不）是＋某人	例句：那是我妈妈。 那不是我姐姐。
3. 这/那＋是＋某人＋吗？	例句：这是你哥哥吗？ 那是李小龙吗？
4. 某人＋是＋某地人＋吗？	例句：你是中国人吗？ 他是北京人吗？
5. 某人＋有＋某物＋吗？	例句：你有小猫吗？ 哥哥有狗吗？
6. 某人＋有＋数词＋量词＋某物	例句：我有一只猫。 他有两只小狗。
7. 某处＋大＋吗？	例句：你家大吗？ 丽丽家大吗？
8. 某处＋很/不＋大	例句：李小龙家很大。 我家不大。
9. 某人＋家＋有＋数词＋个＋房间	例句：他家有五个房间。 李小龙家有七个房间。
10. 数字表达（1—10）	一、二、三、四、五、 六、七、八、九、十

Changes in the Modern Chinese Family

Chinese people consider family life to be very important. In the past, the Chinese have defined a happy family as one with many children and grandchildren in the home. The structure of the Chinese family structure has undergone great changes, shifting from a multi-generational family to a family with only two generations living under one roof. As China entered the second half of the 20th century, its families gradually became much smaller in size. At present, a family is typically made up of only three or four people.

As recent trends have led to new and diverse lifestyles for the Chinese people, a variety of different family patterns have emerged and increased throughout China, such as the "empty nest" family, the "DINK" family and the single-parent family.

Unit Three   Food
第三单元　饮　食

第七课　喝牛奶，不喝咖啡

Learning Objectives

- Exchange morning greetings.
- Talk about breakfast.
- Distinguish and pronounce syllables with zh, ch, sh and r.

New Words

miànbāo
1. 面包 bread

jīdàn
2. 鸡蛋 egg

niúnǎi
3. 牛奶 milk

kāfēi
4. 咖啡 coffee

chī
5. 吃 to eat

hē
6. 喝 to drink

zǎoshang
7. 早上 morning

Sentence Patterns

Zǎoshang hǎo!
1. 早上 好!

Nǐ hē shénme?
2. 你喝什么?

Wǒ hē niúnǎi.
3. 我喝牛奶。

Wǒ bù hē kāfēi.
4. 我不喝咖啡。

1. Number the pictures in the order that you hear.

①

2. Read aloud.

miànbāo   jīdàn   niúnǎi   kāfēi
面包   鸡蛋   牛奶   咖啡

chī   chī shénme   chī miànbāo   hē   bù hē   bù hē kāfēi
吃   吃什么   吃面包   喝   不喝   不喝咖啡

Nǐ chī shénme?   Wǒ chī jīdàn.
你吃什么?   我吃鸡蛋。

Nǐ hē shénme?   Wǒ hē niúnǎi,   wǒ bù hē kāfēi.
你喝什么?   我喝牛奶,   我不喝咖啡。

3. Listen and choose.

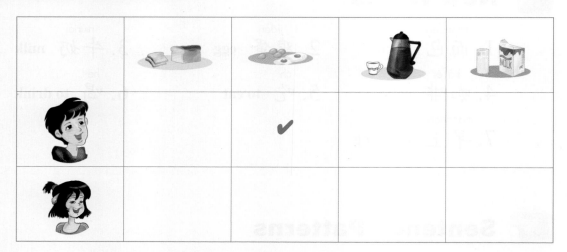

 4. Complete the dialogues according to the pictures below.

Nǐ chī
你吃_____?

Wǒ chī
我吃_____,
wǒ bù chī
我不吃_____。

Lìli,
丽丽，_____?

Wǒ hē
我喝_____,
_____。

5. Read and match.

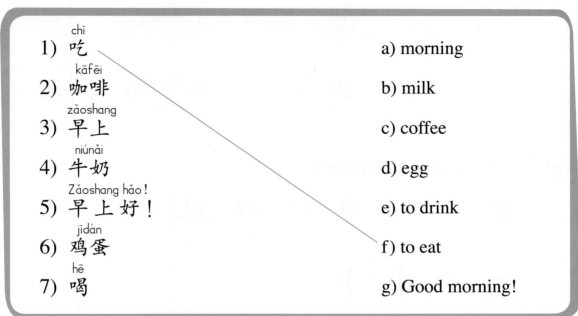

1) ^{chī} 吃

2) ^{kāfēi} 咖啡

3) ^{zǎoshang} 早上

4) ^{niúnǎi} 牛奶

5) ^{Zǎoshang hǎo!} 早上好！

6) ^{jīdàn} 鸡蛋

7) ^{hē} 喝

a) morning

b) milk

c) coffee

d) egg

e) to drink

f) to eat

g) Good morning!

 6. Translate the following sentences.

1) ^{Zǎoshang hǎo!} 早上好！

2) ^{Nǐ chī shénme?} 你吃什么？

3) ^{Wǒ chī miànbāo, bù chī jīdàn.} 我吃面包，不吃鸡蛋。

4) ^{Bàba hē shénme?} 爸爸喝什么？

5) ^{Bàba hē kāfēi, bù hē niúnǎi.} 爸爸喝咖啡，不喝牛奶。

 7. Practice the pronunciation of these sounds.

zh: zhī	zhí	zhǐ	zhì	zhū	zhú	zhǔ	zhù
ch: chī	chí	chǐ	chì	chā	chá	chǎ	chà
sh: shī	shí	shǐ	shì	shē	shé	shě	shè
r: rē	ré	rě	rè	rū	rú	rǔ	rù

8. Circle the syllables that you hear.

| zhī chī | shā chā | zhū shū | chē zhē |
| rè rì | shí shé | chǐ chě | zhà zhè |

9. Write the characters.

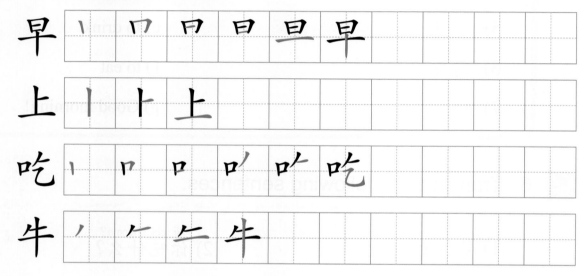

早　丨 冂 冂 日 旦 早

上　丨 𠄌 卜 上

吃　丨 冂 口 口 吀 吃

牛　丿 𠂉 𠂉 牛 牛

第八课　我要苹果，你呢

Learning Objectives

- Talk about fruit and beverage.
- Talk about what you want to have.
- Distinguish and pronounce syllables with z, c and s.

New Words

1. 水果 shuǐguǒ fruit
2. 苹果 píngguǒ apple
3. 果汁 guǒzhī juice
4. 汽水 qìshuǐ soft drink
5. 茶 chá tea
6. 要 yào to want; to need
7. 呢 ne (a modal particle, indicating a tag question)

Sentence Patterns

1. 你要什么？ Nǐ yào shénme?
2. 你要水果吗？ Nǐ yào shuǐguǒ ma?
3. 我要苹果，你呢？ Wǒ yào píngguǒ, nǐ ne?
4. 我不要苹果。 Wǒ bú yào píngguǒ.

 1. Number the pictures in the order that you hear.

　　　　　　　　①

2. Read aloud.

| 水果 shuǐguǒ | 苹果 píngguǒ | 果汁 guǒzhī | 汽水 qìshuǐ | 茶 chá |

吃水果 chī shuǐguǒ　　　喝果汁 hē guǒzhī

你要什么？ Nǐ yào shénme?　　我要苹果。 Wǒ yào píngguǒ.　　你要苹果吗？ Nǐ yào píngguǒ ma?

我要汽水，你呢？ Wǒ yào qìshuǐ, nǐ ne?　　我不要汽水，我要茶。 Wǒ bú yào qìshuǐ, wǒ yào chá.

3. **Listen and choose.**

1) Jim yào shénme?
   Jim要什么？

2) Ann yào shénme?   Mike yào shénme?
   Ann要什么？ Mike要什么？

4. **Complete the dialogues according to the pictures below.**

Nǐ yào shénme?
你要什么？

Wǒ yào
我要＿＿＿＿＿＿。

Wǒ
我_____。

Nǐ yào shuǐguǒ ma?
你要水果吗?

Nǐ hē chá ma?
你喝茶吗?

Wǒ bù hē
我不喝_____,

wǒ
我_____。

Nǐ hē shénme?
你喝什么?

Wǒ
我_____, 你呢?
nǐ ne?

Wǒ
我_____。

5. Fill in the blanks.

① fruit

② apple

③ What does he want?

④ I would like some juice, and you?

⑤ Do you want some tea?

⑥ juice

⑦ soft drink

shuǐguǒ
水果_____ ① guǒzhī
果汁_____

píngguǒ
苹果_____ qìshuǐ
汽水_____

Tā yào shénme?
他要什么？_____

Nǐ yào chá ma?
你要茶吗？_____

Wǒ yào guǒzhī, nǐ ne?
我要果汁，你呢？_____

6. Make dialogues.

Nǐ yào shénme?
你要什么？

Nǐ yào … ma?
你要……吗？

Wǒ yào …, nǐ ne?
我要……，你呢？

7. Practice the pronunciation of these sounds.

z:	zī	zí	zǐ	zì		zā	zá	zǎ	zà
c:	cī	cí	cǐ	cì		cū	cú	cǔ	cù
s:	sī	sí	sǐ	sì		sā	sá	sǎ	sà

8. Circle the syllables that you hear.

sā cā	zī cī	zū sū	cè zè
shì sì	chū cū	zhá zá	shā sā
zhī cī	chā sā	zhū sū	chē zē

9. Write the characters.

第九课　我喜欢海鲜

Learning Objectives

- Talk about food.
- Talk about likes and dislikes.
- Distinguish and pronounce syllables with y and w.

Wǒ xǐhuan hǎixiān.
我喜欢海鲜。

Wǒ yě xǐhuan hǎixiān.
我也喜欢海鲜。

New Words

1. 喜欢 xǐhuan to like
2. 海鲜 hǎixiān seafood
3. 也 yě also, too
4. 菜 cài vegetable(s)
5. 牛肉 niúròu beef
6. 鱼 yú fish
7. 米饭 mǐfàn cooked rice
8. 面条儿 miàntiáor noodles

Sentence Patterns

1. Wǒ xǐhuan hǎixiān, yě xǐhuan cài.
   我喜欢海鲜，也喜欢菜。
2. Wǒ xǐhuan niúròu, tā yě xǐhuan niúròu.
   我喜欢牛肉，他也喜欢牛肉。
3. Wǒ bù xǐhuan miàntiáor, jiějie yě bù xǐhuan miàntiáor.
   我不喜欢面条儿，姐姐也不喜欢面条儿。

 1. Mark what you hear in the recording.

 2. Read aloud.

niúròu hǎixiān yú cài mǐfàn miàntiáor miànbāo
牛肉　海鲜　鱼　菜　米饭　面条儿　面包

Tā xǐhuan hǎixiān, yě xǐhuan cài.
他喜欢海鲜，也喜欢菜。

Wǒ xǐhuan niúròu, tā yě xǐhuan niúròu.
我喜欢牛肉，他也喜欢牛肉。

Gēge bù xǐhuan miàntiáor, mèimei yě bù xǐhuan miàntiáor.
哥哥不喜欢面条儿，妹妹也不喜欢面条儿。

3. Listen and choose.

	✔						

4. Make sentences.

gēge 哥哥：	shuǐguǒ 水果	qìshuǐ 汽水	niúnǎi 牛奶	niúròu 牛肉	yú 鱼
mèimei 妹妹：	**shuǐguǒ 水果**	**chá 茶**	**guǒzhī 果汁**	**niúnǎi 牛奶**	**niúròu 牛肉**

例：
Gēge xǐhuan shuǐguǒ, mèimei yě xǐhuan shuǐguǒ.
哥哥喜欢水果，妹妹也喜欢水果。

Gēge xǐhuan niúnǎi, mèimei ne?
哥哥喜欢牛奶，妹妹呢？

5. Read and match.

1) xǐhuan hǎixiān
   喜欢海鲜

2) bù xǐhuan niúròu
   不喜欢牛肉

3) Tā xǐhuan cài, yě xǐhuan niúròu.
   他喜欢菜，也喜欢牛肉。

4) Wǒ hē kāfēi, nǐ ne?
   我喝咖啡，你呢？

5) Wǒ chī miàntiáor, tā yě chī miàntiáor.
   我吃面条儿，他也吃面条儿。

a) do not like beef
b) I drink coffee.
   What about you?
c) like seafood
d) I eat noodles.
   He eats noodles, too.
e) He likes vegetables.
   He likes beef, too.

6. Translate the following sentences.

1) Wǒ jiào Lǐ Xiǎolóng, wǒ shì Zhōngguórén.
   我叫李小龙，我是中国人。

2) Wǒ jiā zài Yīngguó. Wǒ xǐhuan Zhōngguó, yě xǐhuan Yīngguó.
   我家在英国。我喜欢中国，也喜欢英国。

Zhè shì wǒ gēge,　 tā yě shì Zhōngguórén.
3) 这是我哥哥，他也是中国人。

Wǒ xǐhuan hǎixiān,　 gēge yě xǐhuan hǎixiān.
4) 我喜欢海鲜，哥哥也喜欢海鲜。

Wǒ yǒu yì zhī xiǎo māo,　 xiǎo māo xǐhuan niúnǎi,　 yě xǐhuan yú.
5) 我有一只小猫，小猫喜欢牛奶，也喜欢鱼。

7. Practice the pronunciation of these sounds.

y:	yī	yí	yǐ	yì	yē	yé	yě	yè
	yā	yá	yǎ	yà	yū	yú	yǔ	yù
w:	wū	wú	wǔ	wù	wō	wó	wǒ	wò
	wā	wá	wǎ	wà				

8. Circle the syllables that you hear.

yī yí	yǎ yà	yé yě	yú yù
wá wǎ	wū wǔ	wǒ wò	wú wù
yī yū	yǐ yě	yá wá	yǔ wǔ

9. Write the characters.

也　フ 力 也

米　丶 丷 丷 半 半 米

肉　丨 冂 冂 内 肉 肉

鱼　丿 ⺈ ⺈ 쇼 쇼 角 鱼 鱼

单元小结

1. 某人＋动词＋什么？	例句：你喝什么？ 他吃什么？
2. 某人＋动词＋名词＋吗？	例句：他喝汽水吗？ 你吃面条儿吗？
3. 某人＋（不）动词＋名词	例句：我喝牛奶。 他不吃面包。
4. 某人＋要/喜欢＋什么？	例句：你要什么？ 爸爸要什么？ 他喜欢什么？
5. 某人＋要/喜欢＋名词＋吗？	例句：你要水果吗？ 他喜欢海鲜吗？
6. 某人＋（不）要/喜欢＋名词	例句：我要苹果。 妈妈不要咖啡。 他喜欢牛肉。 哥哥不喜欢水果。
7. 某人₁＋动词＋名词，某人₂＋呢？	例句：我要苹果，你呢？ 他喝果汁，你呢？ 妈妈喜欢茶，爸爸呢？
8. 某人＋动词＋名词₁，也＋动词＋名词₂	例句：我喜欢海鲜，也喜欢菜。 他要牛奶，也要茶。 爸爸吃面条儿，也吃米饭。
9. 某人₁＋动词＋名词，某人₂＋也＋动词＋名词	例句：我要苹果，他也要苹果。 我喜欢中国，哥哥也喜欢中国。 妈妈不喜欢海鲜，爸爸也不喜欢海鲜。

Chinese Breakfast Food

There is a wide variety of breakfast food in China. Steamed dumplings and soybean milk are popular in all parts of China. In some places around the country, traditional snacks unique to that region are commonly eaten for breakfast. Generally, however, in north China, breakfast usually consists of fried dough sticks, steamed bread, sesame pancakes, porridge (thick congee made from a variety of grains), gruel (thin, watery rice porridge) and noodles. Southern Chinese prefer wonton, vermicelli, steamed open dumplings and gruel.

In recent times, the Chinese have become especially concerned about health and so are paying more attention to what they eat for breakfast. Now, in addition to traditional Chinese breakfast foods, it is common to see eggs, milk, bread, ham, oatmeal, yoghurt and fruit on the Chinese breakfast table.

Unit Four   School Life

第四单元   学校生活

第十课　中文课

Learning Objectives

- Talk about your courses.
- Talk about your class schedule.
- Review j, q, x; z, c, s; zh, ch, sh, r.

Xīngqīyī nǐ yǒu Zhōngwénkè ma?
星期一你有中文课吗?

Xīngqīyī wǒ yǒu Zhōngwénkè.
星期一我有中文课。
Xīngqīyī wǒ méiyǒu Fǎwénkè.
星期一我没有法文课。

New Words

1. 星期 (xīngqī) week
2. 中文 (Zhōngwén) Chinese (language)
3. 英文 (Yīngwén) English (language)
4. 法文 (Fǎwén) French (language)
5. 体育 (tǐyù) P.E.
6. 课 (kè) class; lesson
7. 没有 (méiyǒu) not to have

Sentence Patterns

1. 星期一我有中文课。 (Xīngqīyī wǒ yǒu Zhōngwénkè.)
2. 星期一我没有法文课。 (Xīngqīyī wǒ méiyǒu Fǎwénkè.)
3. 星期四你有体育课吗? (Xīngqīsì nǐ yǒu tǐyùkè ma?)
4. 星期六我没有课。 (Xīngqīliù wǒ méiyǒu kè.)

1. Number the words in the order that you hear.

1) class   2) P.E.   3) week   4) not to have   5) Chinese class

_____   _____   _____   _____   _____

6) French (language)   7) English (language)   8) Chinese (language)

_____   _____   ①

2. Read aloud.

星期一 (xīngqīyī)	星期二 (xīngqī'èr)	星期三 (xīngqīsān)	星期四 (xīngqīsì)	星期五 (xīngqīwǔ)	星期六 (xīngqīliù)	星期日(天) (xīngqīrì (tiān))
Monday	Tuesday	Wednesday	Thursday	Friday	Saturday	Sunday

中文课 (Zhōngwénkè)   法文课 (Fǎwénkè)   英文课 (Yīngwénkè)   体育课 (tǐyùkè)

星期一我有中文课。 (Xīngqīyī wǒ yǒu Zhōngwénkè.)

星期二我没有法文课。 (Xīngqī'èr wǒ méiyǒu Fǎwénkè.)

星期三我有体育课。 (Xīngqīsān wǒ yǒu tǐyùkè.)

3. Listen and match.

Monday   Friday   Thursday   Wednesday   Saturday   Tuesday

4. Complete the dialogues according to the pictures below.

Xīngqīyī wǒ yǒu tǐyùkè.   Xīngqīyī nǐ yǒu tǐyùkè ma?
星期一我有体育课。星期一你有体育课吗？

Xīngqīyī wǒ méiyǒu tǐyùkè.   Xīngqīyī wǒ yǒu Fǎwénkè.
星期一我没有体育课。星期一我有法文课。

Xīngqī'èr wǒ yǒu Yīngwénkè.   Xīngqī'èr nǐ yǒu Yīngwénkè ma?
星期二我有英文课。星期二你有英文课吗？

Xīngqī'èr wǒ méiyǒu   Xīngqī'èr wǒ yǒu
星期二我没有_____。星期二我有_____。

Xīngqīsān
星期三_____。

Xīngqīsān
星期三_____。

Xīngqīsì
星期四_____。

Xīngqīsì
星期四_____。

5. Fill in the blanks.

a) Saturday

b) Thursday

c) week

d) not to have

e) Wednesday

f) P.E.

g) Chinese (language)

h) English (language)

i) French (language)

Zhōngwén
1) 中文____g____

xīngqī
2) 星期_____

Fǎwén
3) 法文_____

tǐyù
4) 体育_____

Yīngwén
5) 英文_____

méiyǒu
6) 没有_____

xīngqīsì
7) 星期四_____

xīngqīliù
8) 星期六_____

xīngqīsān
9) 星期三_____

6. Translate the following sentences.

Xīngqīyī wǒyǒu Zhōngwénkè, méiyǒu Fǎwénkè.
星期一我有中文课，没有法文课。

Xīngqīsì nǐ yǒu Zhōngwénkè ma? Xīngqīsì wǒyǒu Yīngwénkè, méiyǒu Zhōngwénkè.
星期四你有中文课吗？星期四我有英文课，没有中文课。

Xīngqīwǔ nǐ yǒu kè ma? Xīngqīwǔ wǒyǒu kè, xīngqīliù wǒ méiyǒu kè.
星期五你有课吗？星期五我有课，星期六我没有课。

7. Practice your pronunciation.

Yī èr sān sì wǔ liù qī,
一二三四五六七，

Qī liù wǔ sì sān èr yī.
七六五四三二一。

Sān zhǐ yā,　　sì zhǐ jī,
三只鸭，四只鸡，

Qī zhǐ xiǎo niǎo fēi guò qù.
七只小鸟飞过去。

One, two, three, four, five, six, seven,

Seven, six, five, four, three, two, one.

Three ducks, four chickens,

Seven birds fly away.

8. Circle the words that you hear.

cídiǎn　　qǐdiǎn	sì gè　　shí gè
jiàqī　　xiàqí	shízhǐ　　shízì
sījī　　chī jī	rìjì　　rìlì

9. Write the characters.

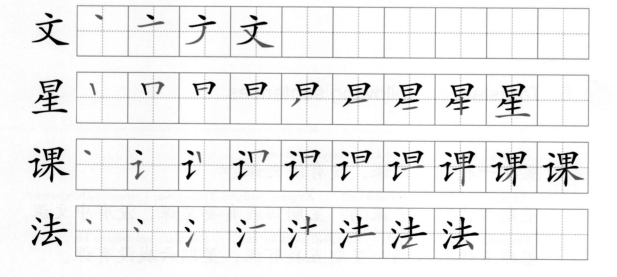

文　、　二　ナ　文

星　丶　冂　冃　日　旦　旦　星　星

课　丶　讠　订　订　订　识　评　课　课

法　丶　丶　氵　汁　汁　法　法

第十一课　我们班

Learning Objectives

- Talk about your class.
- Talk about your classmates.

Wǒmen bān yǒu
我们班有
shíwǔ gè nǚ xuéshēng.
十五个女学生。

Wǒmen bān yǒu
我们班有
shí gè nán xuéshēng.
十个男学生。

Wǒmen bān yǒu
我们班有
èrshíwǔ gè xuéshēng.
二十五个学生。

New Words

1. 我们 wǒmen we, us
2. 班 bān class
3. 男 nán male
4. 女 nǚ female
5. 学生 xuéshēng student
6. 十一 shíyī eleven
7. 二十 èrshí twenty
8. 二十一 èrshíyī twenty-one

Sentence Patterns

1. 我们班有二十五个学生。
   Wǒmen bān yǒu èrshíwǔ gè xuéshēng.

2. 我们班有十个男学生，十五个女学生。
   Wǒmen bān yǒu shí gè nán xuéshēng, shíwǔ gè nǚ xuéshēng.

3. 我们班有三个中国人。
   Wǒmen bān yǒu sān gè Zhōngguórén.

4. 我喜欢我们班。
   Wǒ xǐhuan wǒmen bān.

1. Listen and mark the numbers you hear.

1	2 ✓	3	4	5	6	7	8	9	10	11	12	13
14	15	16	17	18	19	20	21	22	23	24	25	26

2. Read aloud.

十一 shíyī　十二 shí'èr　十三 shísān　十四 shísì　十五 shíwǔ

十六个 shíliù gè　十七个 shíqī gè　十八个 shíbā gè

十九个女学生 shíjiǔ gè nǚ xuéshēng

我们班有二十二个女学生。 Wǒmen bān yǒu èrshí'èr gè nǚ xuéshēng.

二十个男学生 èrshí gè nán xuéshēng

我们班有二十三个男学生。 Wǒmen bān yǒu èrshísān gè nán xuéshēng.

二十一个学生 èrshíyī gè xuéshēng

我们班有二十五个学生。 Wǒmen bān yǒu èrshíwǔ gè xuéshēng.

3. Listen and fill in the blanks.

	Total	Female Students	Male Students
Mary	21	12	9
Jim			
Ann			

4. Complete the dialogues according to the pictures below.

Wǒmen bān yǒu èrshí gè xuéshēng.
我们班有二十个学生。

Wǒmen bān yǒu shíjiǔ gè xuéshēng.
我们班有十九个学生。

Wǒmen bān yǒu jiǔ gè
我们班有九个

Wǒmen bān yǒu shí'èr gè
我们班有十二个

Wǒmen bān yǒu shíyī gè
我们班有十一个

Wǒmen bān yǒu bā gè
我们班有八个

5. Fill in the blanks.

①

② 11个 gè

③

④ 15个 gè

⑤

⑥ 20个 gè

shíyī   gè   Měiguórén
十一个美国人_____ ②

shíwǔ   gè   píngguǒ
十五个苹果_____

èrshí   gè   Zhōngguórén
二十个中国人_____

nán xuéshēng
男学生_____

nǚ xuéshēng
女学生_____

wǒmen bān
我们班_____

6. Read and match.

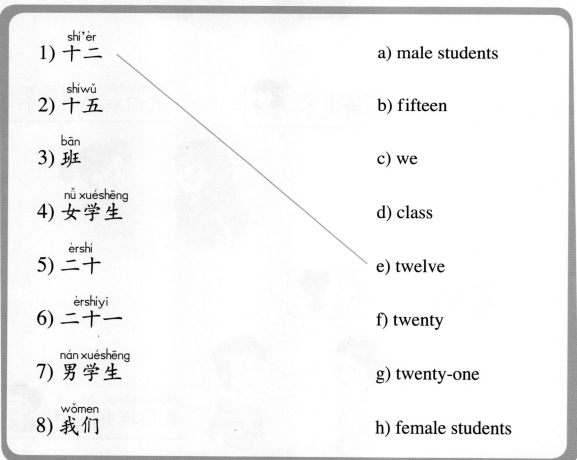

shí'èr
1) 十二

shíwǔ
2) 十五

bān
3) 班

nǚ xuéshēng
4) 女学生

èrshí
5) 二十

èrshíyī
6) 二十一

nán xuéshēng
7) 男学生

wǒmen
8) 我们

a) male students

b) fifteen

c) we

d) class

e) twelve

f) twenty

g) twenty-one

h) female students

7. Translate the following sentences.

Wǒmen bān yǒu èrshí gè xuéshēng.
1) 我们班有二十个学生。

Wǒmen bān yǒu shí gè nán xuéshēng, shí gè nǚ xuéshēng.
2) 我们班有十个男学生，十个女学生。

Wǒmen bān yǒu shíqī gè Yīngguórén, sān gè Zhōngguórén.
3) 我们班有十七个英国人，三个中国人。

Wǒ xǐhuan wǒmen bān.
4) 我喜欢我们班。

 8. Write the characters.

| 男 | 丶 | 口 | 曰 | 田 | 田 | 罗 | 男 | | | | |

| 女 | 乀 | 夊 | 女 | | | | | | | | |

| 学 | 丶 | 丷 | 丷 | 丷 | 丷 | 学 | 学 | 学 | | | |

| 生 | 丿 | 丿 | 丿 | 丿 | 牛 | 生 | | | | | |

第十二课　我去图书馆

Learning Objectives

- Talk about extra-curricular activities.
- Ask someone where she/he would like to go.

New Words

1. qù 去 to go
2. yùndòngchǎng 运动场 sports ground
3. túshūguǎn 图书馆 library
4. jiàoshì 教室 classroom
5. lǐtáng 礼堂 assembly hall
6. tǐyùguǎn 体育馆 gym

Sentence Patterns

1. Nǐ qù nǎr? 你去哪儿?
2. Wǒ qù túshūguǎn. 我去图书馆。
3. Nǐ qù yùndòngchǎng ma? 你去运动场吗?
4. Wǒ bú qù yùndòngchǎng. 我不去运动场。

 1. Number the pictures in the order that you hear.

①

 2. Read aloud.

jiàoshì 教室   lǐtáng 礼堂   yùndòngchǎng 运动场   túshūguǎn 图书馆   tǐyùguǎn 体育馆

qù jiàoshì 去教室   qù lǐtáng 去礼堂   qù túshūguǎn 去图书馆   qù tǐyùguǎn 去体育馆

Nǐ qù nǎr? 你去哪儿? Wǒ qù yùndòngchǎng. 我去运动场。

3. Listen and match.

4. Complete the dialogues according to the pictures below.

Ni qù túshūguǎn ma?
你去图书馆吗？

Wǒ bú qù túshūguǎn, wǒ qù jiàoshì.
我不去图书馆，我去教室。

Ni qù yùndòngchǎng ma?
你去运动场吗？

Wǒ bú qù yùndòngchǎng, wǒ qù lǐtáng.
我不去运动场，我去礼堂。

5. Read and match.

qù lǐtáng
1) 去礼堂   a) go to the classroom

qù túshūguǎn
2) 去图书馆   b) go to the gym

qù jiàoshì
3) 去教室   c) go to the sports ground

qù yùndòngchǎng
4) 去运动场   d) go to the assembly hall

qù tǐyùguǎn
5) 去体育馆   e) go to the library

6. Translate the following sentences.

Nǐ qù nǎr?
1) 你去哪儿？

Wǒ qù lǐtáng.
2) 我去礼堂。

Tā bú qù lǐtáng,　tā qù túshūguǎn.
3) 他不去礼堂，他去图书馆。

Wǒmen qù jiàoshì,　wǒmen bú qù tǐyùguǎn.
4) 我们去教室，我们不去体育馆。

Tāmen　　　　　bú qù jiàoshì,　tāmen qù yùndòngchǎng.
5) 他们 (they) 不去教室，他们去运动场。

7. Write the characters.

单元小结

1. 日期＋某人＋有＋课程名称＋吗?	例句：星期四你有体育课吗? 星期一姐姐有法文课吗?
2. 日期＋某人＋(没)有＋课程名称	例句：星期一我有中文课。 星期一我没有法文课。 星期三哥哥有体育课。
3. 日期＋某人＋有＋课＋吗?	例句：星期五你有课吗? 星期六小海有课吗?
4. 日期＋某人＋(没)有＋课	例句：星期五我有课。 星期六小海没有课。
5. 某处＋有＋数量＋人	例句：我们班有两个中国人。 我们班有二十三个学生。 我们班有十个男学生，十三个女学生。
6. 某人＋去＋哪儿?	例句：你去哪儿? 姐姐去哪儿? 妈妈去哪儿?
7. 某人＋去＋某处＋吗?	例句：你去运动场吗? 姐姐去教室吗? 老师去图书馆吗?
8. 某人＋(不)去＋某处	例句：我去运动场。 姐姐不去教室。 老师去图书馆。
9. 数字表达 (11—25)	十一、十二、十三、十四、 十五、十六、十七、十八、 十九、二十、二十一、二十二、 二十三、二十四、二十五

Secondary Schools in China

The Chinese secondary school system is divided into a three-year junior middle and a three-year senior middle school education. The main subjects include language (Chinese), math, English, history, geography, physics, chemistry, sports, information technology and politics. Classes in middle school usually begin at eight in the morning. Some schools hold an early morning reading period before classes begin. During the morning break, students are required to do callisthenic exercises to music broadcast by the school's sound system. Students stay in one fixed classroom to have their classes except for subjects such as sports, chemistry, physics and music. After class, students may take part in different kinds of recreation and sports, social club activities and social volunteer activities.

时间 ＼ 星期		星期一	星期二	星期三	星期四	星期五
上午	1	数学	英语	语文	物理	数学
	2	语文	政治	数学	英语	语文
	3	英语	数学	政治	语文	物理
	4	历史	语文	英语	地理	生物
下午	5	美术	信息	数学	数学	政治
	6	体育	地理	语文	历史	英语
	7	班会	音乐	体育	生物	实践
	8	班会	物理	历史	英语	卫生

Unit Five　Time and Weather

第五单元　时间和天气

第十三课　现在几点

Learning Objectives

- Ask about time (hour and minute).
- Talk about where you're going.

New Words

1. xiànzài
   现在 now

2. jǐ
   几 how many

3. diǎn
   点 o'clock

4. bàn
   半 half

 Sentence Patterns

1. Xiànzài jǐ diǎn?
   现在几点？

2. Xiànzài shí'èr diǎn.
   现在十二点。

3. Xiànzài wǔ diǎn bàn.
   现在五点半。

 1. Number the pictures in the order that you hear.

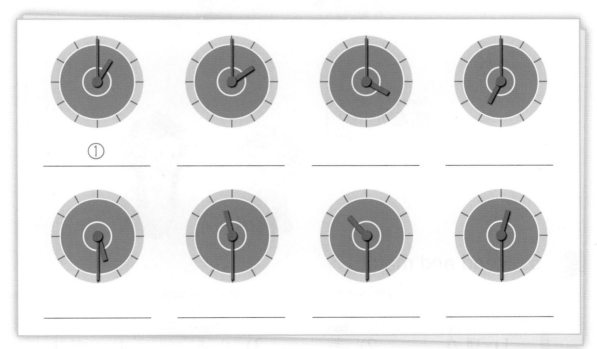

①

 2. Read aloud.

jǐ diǎn	jiǔ diǎn	liǎng diǎn	wǔ diǎn bàn
几点	九点	两点	五点半

Xiànzài jǐ diǎn?
现在几点？

Xiànzài wǔ diǎn bàn.
现在五点半。

3. Listen and draw the clock hands for the correct times.

 4. Make dialogues.

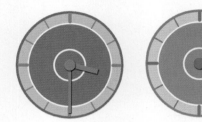 

Xiànzài jǐ diǎn?
现在几点？

Xiànzài wǔ diǎn bàn.
现在五点半。

Xiànzài jǐ diǎn?
现在几点？

......

 5. Read and match.

xiànzài	bàn	jǐ diǎn	nǎr
1) 现在	2) 半	3) 几点	4) 哪儿

a) half   b) now   c) Where...?   d) What time...?

6. Translate the following sentences.

Nǐ qù nǎr?
1) 你去哪儿？

Wǒ qù túshūguǎn.
2) 我去图书馆。

Xiànzài jǐ diǎn?
3) 现在几点？

Xiànzài jiǔ diǎn bàn.
4) 现在九点半。

 7. Write the characters.

现 一 二 于 王 玑 玑 现 现

几 丿 几

点 丨 卜 卜 占 占 占 点 点

半 丶 丷 丷 半 半

第十四课　我的生日

Learning Objectives

- Talk about time (months and dates).
- Talk about birthdays and ages.

Wǒ de shēngrì shì yīyuè èrshísì hào.
我的生日是一月二十四号。

New Words

1. 的 de (a structural particle)

2. 我的 wǒ de my

3. 生日 shēngrì birthday

4. 月 yuè month

5. 号 hào date

6. 岁 suì year (of age)

7. 你的 nǐ de your

Sentence Patterns

1. 你的生日是几月几号？
Nǐ de shēngrì shì jǐ yuè jǐ hào?

2. 我的生日是一月二十四号。
Wǒ de shēngrì shì yīyuè èrshísì hào.

3. 你几岁？
Nǐ jǐ suì?

4. 我十四岁。
Wǒ shísì suì.

1. Number the words in the order that you hear.

yīyuè	liùyuè	jiǔyuè	shí'èryuè
January ____	June ①	September ____	December ____
bā hào	shísì hào	èrshí hào	èrshísì hào
8th ____	14th ____	20th ____	24th ____

2. Read aloud.

jǐ 几	jǐ yuè 几月	jǐ hào 几号	jǐ suì 几岁

èryuè 二月   sānshí hào 三十号   yīyuè èrshísì hào 一月二十四号   shísì suì 十四岁

wǒ de 我的   nǐ de 你的   shēngrì 生日   wǒ de shēngrì 我的生日   nǐ de shēngrì 你的生日

你的生日是几月几号？ Nǐ de shēngrì shì jǐ yuè jǐ hào?   我十四岁。 Wǒ shísì suì.

3. Listen and match. Then fill in the blanks.

Jim

Ann

Míngming
明明

Xiǎohóng
小红

Liùyuè èrshíwǔ hào,
六月二十五号，＿＿＿＿＿＿＿＿岁。 suì.

Shí'èryuè sān hào,
十二月三号，＿＿＿＿＿＿＿＿岁。 suì.

Bāyuè qī hào, shíwǔ
八月七号，＿＿十五＿＿岁。 suì.

Sìyuè shí hào,
四月十号，＿＿＿＿＿＿＿＿岁。 suì.

4. Make dialogues.

Nǐ de shēngrì shì jǐ yuè jǐ hào?
你的生日是几月几号？

Wǒ de shēngrì shì…
我的生日是……

Nǐ de shēngrì shì…
你的生日是……

……

5. Read and match.

shíwǔ hào
1) 十五号   a) my birthday

sìyuè
2) 四月   b) 21 years old

èrshíyī suì
3) 二十一岁   c) your birthday

wǒ de shēngrì
4) 我的生日   d) April

nǐ de shēngrì
5) 你的生日   e) 15th

6. Translate the following sentences.

Nǐ de shēngrì shì jǐ yuè jǐ hào?
1) 你的生日是几月几号？

Wǒ de shēngrì shì yīyuè èrshísì hào.
2) 我的生日是一月二十四号。

Nǐ jǐ suì?
3) 你几岁？

Wǒ shíyī suì.
4) 我十一岁。

7. Write the characters.

日	丨	冂	日	日						
月	丿	几	月	月						
号	丶	口	口	号	号					
岁	丨	屮	山	少	岁	岁				

第十五课　今天不冷

Learning Objectives

- Talk about weather.
- Talk about time (today and yesterday).

Jīntiān bù lěng.
今天不冷。

New Words

zuótiān
1. 昨天 yesterday

lěng
2. 冷 cold

jīntiān
3. 今天 today

rè
4. 热 hot

Sentence Patterns

Jīntiān lěng ma?
1. 今天冷吗？

Jīntiān bù lěng.
2. 今天不冷。

Zuótiān hěn lěng.
3. 昨天很冷。

1. Listen and mark in the form below.

	Zhōngwénkè 中文课	Fǎwénkè 法文课	Yīngwénkè 英文课	tǐyùkè 体育课
zuótiān 昨天	✔ yǒu （有）			
jīntiān 今天	✗ méiyǒu （没有）			

2. Read aloud.

jīntiān　　zuótiān　　lěng　　rè
今天　　昨天　　冷　　热

Zuótiān hěn lěng.
昨天很冷。

Jīntiān bù lěng.
今天不冷。

Jīntiān hěn rè.
今天很热。

Zuótiān bú rè.
昨天不热。

3. Listen and fill in the blanks.

	Běijīng 北京	Shànghǎi 上海	Xiānggǎng 香港
zuótiān 昨天	bù lěng 不冷		
jīntiān 今天			

4. Complete the dialogues according to the pictures below.

Zuótiān lěng ma?
A: 昨天冷吗？

Zuótiān hěn lěng.
B: 昨天很冷。

Zuótiān rè ma?
A: 昨天热吗？

B: _____。

Jīntiān lěng ma?
A: 今天冷吗？

Jīntiān bù lěng.
B: 今天不冷。

Jīntiān
A: 今天_____？

B: _____。

5. Read and match.

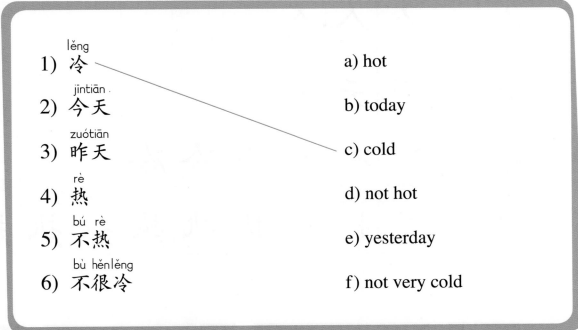

    lěng
1) 冷   a) hot

    jīntiān
2) 今天   b) today

    zuótiān
3) 昨天   c) cold

    rè
4) 热   d) not hot

    bú rè
5) 不热   e) yesterday

    bù hěnlěng
6) 不很冷   f) not very cold

6. Translate the following sentences.

    Jīntiān hěn lěng.   Zuótiān bú rè.
1) 今天很冷。   2) 昨天不热。

    Jīntiān bù hěn lěng.   Jīntiān shì xīngqīyī,   hěn rè.
3) 今天不很冷。   4) 今天是星期一，很热。

7. Practice your pronunciation.

    Dà rè tiān,   zhí chū hàn,
    大 热 天， 直 出 汗，   On such hot days, constantly sweating,

    Rénrén rè de shǒu jiǎo ruǎn.
    人 人 热 得 手 脚 软。   Everyone is too hot to even think of moving.

8. Write the characters.

今　丿　人　人　今

天　一　二　干　天

冷　丶　冫　丬　冸　冷　冷

热　一　十　扌　打　执　执　热　热　热

单元小结

1. 现在＋几＋点？	例句：现在几点？
2. 现在＋数字＋点	例句：现在两点。 现在八点。 现在十二点。
3. 现在＋数字＋点＋半	例句：现在五点半。 现在十一点半。
4. 名词（词组）＋是＋几＋月＋几＋号？	例句：今天是几月几号？ 昨天是几月几号？ 你的生日是几月几号？
5. 名词（词组）＋是＋数字＋月＋数字＋号	例句：今天是九月三号。 昨天是八月二号。 我的生日是一月二十四号。
6. 某人＋几＋岁？	例句：你几岁？ 他几岁？
7. 某人＋数字＋岁	例句：我九岁。 他十一岁。
8. 日期＋冷/热＋吗？	例句：今天冷吗？ 昨天热吗？
9. 日期＋很＋冷/热	例句：今天很冷。 昨天很热。
10. 日期＋不＋冷/热	例句：今天不冷。 昨天不热。

Birthday Celebrations

Chinese people greatly admire long life. Grand celebrations are held to celebrate the sixtieth, seventieth, eightieth and ninetieth birthdays. "Longevity noodles", steamed peach-shaped "longevity bread" and a multi-layer "longevity cake" with dates are prepared for these occasions. In cities, however, people usually just eat birthday cake. The younger generation is expected to come dressed nicely for these important birthday celebrations, to present gifts and offer birthday congratulations to the elderly person whose birthday is being celebrated. In the old days, people would kowtow to express their respect and good wishes for the person being honored. Today, however, people will just bow deeply toward the person. In general, hats, clothes and other daily necessities, as well as food and artwork, are often given as birthday presents. It's common to have dinner with relatives and good friends on one's birthday or go out to a theatre performance together.

Unit Six   Jobs
第六单元   工作

第十六课　他是医生

Learning Objectives

- Talk about jobs.
- Ask about someone's job.

New Words

yīshēng 1. 医生 doctor	huàjiā 2. 画家 artist; painter
gōngchéngshī 3. 工程师 engineer	jiàoshī 4. 教师 teacher
shāngrén 5. 商人 businessman	gōngrén 6. 工人 worker

 # Sentence Patterns

Tā shì bu shì huàjiā? 1. 他是不是画家?	Tā shì huàjiā. 2. 他是画家。
Māma bú shì yīshēng. 3. 妈妈不是医生。	Nǐ hē bu hē kāfēi? 4. 你喝不喝咖啡？

 1. Number the pictures in the order that you hear.

2. Read aloud.

huàjiā 画家	gōngchéngshī 工程师
shì huàjiā 是画家	shì gōngchéngshī 是工程师
Tā shì huàjiā. 他是画家。	Tā shì gōngchéngshī. 他是工程师。
Tā shì bu shì huàjiā? 他是不是画家?	Tā shì bu shì gōngchéngshī? 他是不是工程师?

3. Read and match.

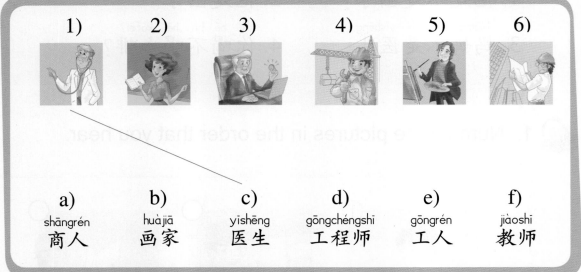

1)   2)   3)   4)   5)   6)

a)	b)	c)	d)	e)	f)
shāngrén 商人	huàjiā 画家	yīshēng 医生	gōngchéngshī 工程师	gōngrén 工人	jiàoshī 教师

4. Fill in the blanks.

①画家 huàjiā   ②教师 jiàoshī

③医生 yīshēng   ④学生 xuéshēng

1) Tā shì
他是＿①＿。

2) Māma bú shì
妈妈不是＿＿＿。

3) Bàba shì＿＿＿ma?
爸爸是＿＿＿吗?

4) Míngming shì bu shì
明明是不是＿＿＿?

5. Complete the dialogues according to the pictures below.

1) A: 小红是不是学生?
　　Xiǎohóng shì bu shì xuéshēng?

　　B: 小红是学生。
　　Xiǎohóng shì xuéshēng.

2) A: 爸爸喝不喝咖啡?
　　Bàba hē bu hē kāfēi?

　　B: 爸爸不喝咖啡,他_____。
　　Bàba bù hē kāfēi,　tā

3) A: 他是不是工程师?
　　Tā shì bu shì gōngchéngshī?

　　B: 他_____。
　　Tā

4) A: 小海_____?
　　Xiǎohǎi

　　B: 小海不去图书馆,他_____。
　　Xiǎohǎi bú qù túshūguǎn,　tā

5) A: 他_____?
　　Tā

　　B: 他_____。
　　Tā

6. Translate the following sentences.

1) 你爸爸是医生吗?
　　Nǐ bàba shì yīshēng ma?

2) 姐姐不是教师,是工程师。
　　Jiějie bú shì jiàoshī,　shì gōngchéngshī.

3) 他哥哥是不是工人?
　　Tā gēge shì bu shì gōngrén?

4) 你是不是英国人? 我不是英国人,我是美国人。
　　Nǐ shì bu shì Yīngguórén?　Wǒ bú shì Yīngguórén,　wǒ shì Měiguórén.

7. Make dialogues.

    Bàba shì bu shì…?
爸爸是不是……?
    Māma…?
妈妈……?
    Gēge…?
哥哥……?
    Ann …?
Ann……?

shāngrén
商人

gōngchéngshi
工程师

xuéshēng
学生

huàjiā
画家

8. Practice your pronunciation.

Cán hé Chán
蚕 和 蝉

The Silkworm and the Cicada

Zhè shì cán,
这 是 蚕,

This is the silkworm.

Nà shì chán.
那 是 蝉。

That is the cicada.

Cán cháng zài yè li cáng,
蚕 常 在 叶 里 藏,

The silkworm often hides in leaves.

Chán cháng zài lín li chàng.
蝉 常 在 林 里 唱。

The cicada often sings in trees.

 9. Write the characters.

是 丶 口 日 日 旦 早 昰 昰 是

师 丨 丨 丿 丿 师 师 师

工 一 丁 工

画 一 一 丆 百 百 而 面 画 画

第十七课 他在医院工作

Learning Objectives

- Ask somebody where she/he works.
- Tell somebody where you work.

New Words

gōngzuò
1. 工作　to work

yīyuàn
2. 医院　hospital

hùshi
3. 护士　nurse

sījī
4. 司机　driver, chauffeur

xiàozhǎng
5. 校长　headmaster; principal

shòuhuòyuán
6. 售货员　salesperson, assistant

shāngdiàn
7. 商店　store, shop

gōngchǎng
8. 工厂　factory

xuéxiào
9. 学校　school

Sentence Patterns

Tā zài nǎr gōngzuò?
1. 他在哪儿工作？

Tā zài yīyuàn gōngzuò.
2. 他在医院工作。

Bàba zài nǎr hē chá?
3. 爸爸在哪儿喝茶？

Bàba zài chúfáng hē chá.
4. 爸爸在厨房喝茶。

1. Number the pictures in the order that you hear.

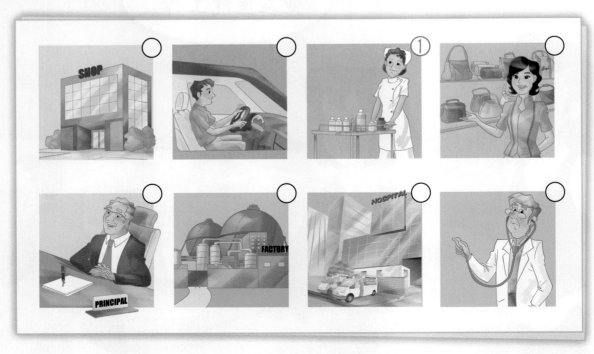

94

2. **Read aloud.**

xuéshēng	zài xuéxiào xuéxí	xiàozhǎng	jiàoshi	zài xuéxiào gōngzuò
学生	在学校学习	校长	教师	在学校工作

yīshēng	hùshi	zài yīyuàn gōngzuò	shòuhuòyuán	zài shāngdiàn gōngzuò
医生	护士	在医院工作	售货员	在商店工作

 3. **Read and match.**

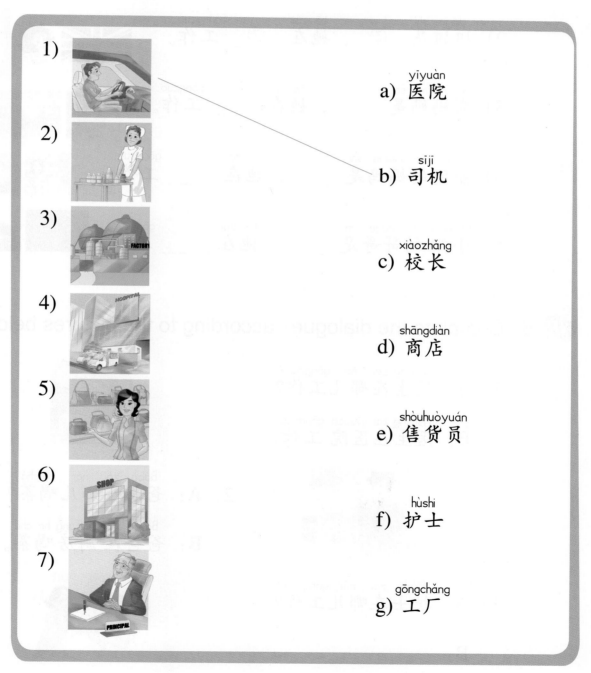

1)

2)

3)

4)

5)

6)

7)

yīyuàn
a) 医院

sījī
b) 司机

xiàozhǎng
c) 校长

shāngdiàn
d) 商店

shòuhuòyuán
e) 售货员

hùshi
f) 护士

gōngchǎng
g) 工厂

4. Fill in the blanks.

	yīshēng		xuéxiào		Yīngguórén		yīyuàn		shòuhuòyuán
①	医生	②	学校	③	英国人	④	医院	⑤	售货员

	jiàoshī		Yīngguó		shāngdiàn		Běijīng		Zhōngguórén
⑥	教师	⑦	英国	⑧	商店	⑨	北京	⑩	中国人

1) Wǒ bàba shì ___ tā zài ___ gōngzuò.
   我爸爸是 ___①___ , 他在 ___④___ 工作。

2) Jiějie shì ___ tā zài ___ gōngzuò.
   姐姐是 ___③___ , 她在 ___⑦___ 工作。

3) Wǒ māma shì ___ tā zài ___ gōngzuò.
   我妈妈是 _____ , 她在 _____ 工作。

4) Lìli de māma shì ___ tā zài ___ gōngzuò.
   丽丽的妈妈是 _____ , 她在 _____ 工作。

5) Xiǎohóng de gēge shì ___ tā zài ___ gōngzuò.
   小红的哥哥是 _____ , 他在 _____ 工作。

5. Complete the dialogues according to the pictures below.

1) A: Yīshēng zài nǎr gōngzuò?
      医生在哪儿工作?
   B: Yīshēng zài yīyuàn gōngzuò.
      医生在医院工作。

2) A: Bàba zài nǎr hē chá?
      爸爸在哪儿喝茶?
   B: Bàba zài chúfáng hē chá.
      爸爸在厨房喝茶。

3) A: Hùshi zài nǎr gōngzuò?
      护士在哪儿工作?

   B: _____。

Mary zài nǎr chī píngguǒ?
4) A：Mary在哪儿吃苹果？

B：_____。

5) A：_____?

B：_____。

 6. Read and match.

1) 在 医 院 工 作
zài yīyuàn gōngzuò

2) 在 商 店 工 作
zài shāngdiàn gōngzuò

3) 在 学 校 工 作
zài xuéxiào gōngzuò

4) 在 图 书 馆 工 作
zài túshūguǎn gōngzuò

5) 在 工 厂 工 作
zài gōngchǎng gōngzuò

a) work in a shop

b) work in a hospital

c) work in a factory

d) work in a library

e) work in a school

 7. Listen and fill in the blanks with the correct *pinyin*.

1) 我 是 中 国 人 ， 我 ___zài Běijīng___ 工 作 。
Wǒ shì Zhōngguórén, wǒ ___ gōngzuò.

2) 我 是 医 生 ， 我 _____。
Wǒ shì yīshēng, wǒ _____.

3) 我 是 _____ ， 我 _____。
Wǒ shì _____, wǒ _____.

8. Make dialogues.

yīshēng
医生

jiàoshi
教师

shòuhuòyuán
售货员

shāngrén
商人

yīyuàn
医院

xuéxiào
学校

shāngdiàn
商店

Bàba shi bu shi … ?
爸爸是不是……?

Tā zài nǎr … ?
他在哪儿……?

Māma shì … ma?
妈妈是……吗?

Māma zài nǎr … ?
妈妈在哪儿……?

9. Write the characters.

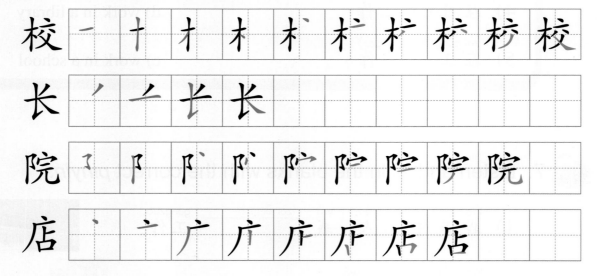

第十八课　我想做演员

Learning Objectives

- Tell somebody about your ideal job.
- Ask about somebody's ideal job.

Wǒ xiǎng zuò yǎnyuán.
我想做演员。

Nín shì yǎnyuán ba?
您是演员吧?

New Words

1. 您 nín you (formal)
2. 演员 yǎnyuán actor or actress
3. 想 xiǎng to want; would like to
4. 做 zuò to be; to become; to do
5. 作家 zuòjiā writer
6. 科学家 kēxuéjiā scientist
7. 吧 ba (a modal particle, indicating conjecture or assumption)

Sentence Patterns

1. 我想做演员。 Wǒ xiǎng zuò yǎnyuán.
2. 哥哥不想做演员。 Gēge bù xiǎng zuò yǎnyuán.
3. 您是科学家吧？ Nín shì kēxuéjiā ba?
4. 你想做画家吗？ Nǐ xiǎng zuò huàjiā ma?

1. Number the words in the order that you hear.

| 想 xiǎng ____ | 作家 zuòjiā ____ | 科学家 kēxuéjiā ① |
| 您 nín ____ | 演员 yǎnyuán ____ | 做 zuò ____ |

2. Read aloud.

演员 yǎnyuán	科学家 kēxuéjiā	作家 zuòjiā
做演员 zuò yǎnyuán	做科学家 zuò kēxuéjiā	做作家 zuò zuòjiā
想做演员 xiǎng zuò yǎnyuán	想做科学家 xiǎng zuò kēxuéjiā	想做作家 xiǎng zuò zuòjiā
我想做演员。 Wǒ xiǎng zuò yǎnyuán.	我想做科学家。 Wǒ xiǎng zuò kēxuéjiā.	我想做作家。 Wǒ xiǎng zuò zuòjiā.

3. Read and match.

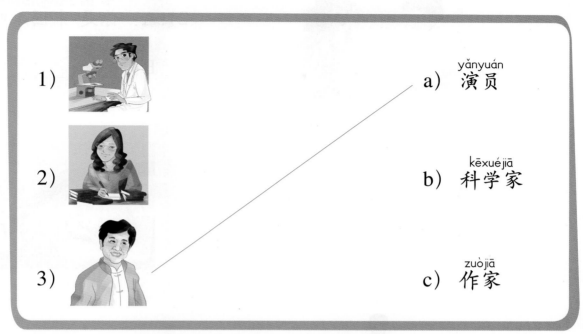

1)

2)

3)

a) yǎnyuán
演员

b) kēxuéjiā
科学家

c) zuòjiā
作家

 4. Fill in the blanks.

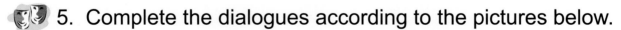

① zuòjiā
作家   ② yǎnyuán
演员   ③ kēxuéjiā
科学家

1) Wǒ xiǎng zuò
我 想 做 ____ ② ____ 。

2) Tā xiǎng zuò   ma?
他 想 做 _____ 吗?

3) Xiǎohǎi bù xiǎng zuò
小海 不 想 做 _____ 。

5. Complete the dialogues according to the pictures below.

1) A: Nín shì yīshēng ba?
您 是 医生 吧?

B: Wǒ shì yīshēng.
我 是 医生。

2) A：你是 中国人 吧？
Nǐ shì Zhōngguórén ba?

B：＿＿＿＿＿＿＿＿＿＿。

3) A：＿＿＿＿＿＿＿＿＿？

B：＿＿＿＿＿＿＿＿＿。

4) A：你 想 做 演员 吗？
Nǐ xiǎng zuò yǎnyuán ma?

B：我 想 做 演员。
Wǒ xiǎng zuò yǎnyuán.

5) A：你 想 做 画家 吗？
Nǐ xiǎng zuò huàjiā ma?

B：＿＿＿＿＿＿＿＿＿＿。

6) A：＿＿＿＿＿＿＿＿＿？

B：＿＿＿＿＿＿＿＿＿。

6. Translate the following phrases.

1) xiǎng zuò yīshēng
   想 做 医生

2) xiǎng zuò gōngchéngshī
   想 做 工程师

3) xiǎng zuò sījī
   想 做 司机

4) xiǎng zuò shāngrén
   想 做 商人

5) xiǎng zuò yǎnyuán
   想 做 演员

6) xiǎng zuò huàjiā
   想 做 画家

7. Make dialogues.

… shì … ba?
……是……吧?

… xiǎng zuò … ba?
……想 做……吧?

… xiǎng zuò …
……想 做……

jiàoshī
教师

yīshēng
医生

xiǎng zuò yǎnyuán
想 做 演员

8. Write the characters.

您 | ノ | イ | 亻 | 伫 | 伫 | 价 | 你 | 你 | 您 | 您 | 您
想 | 一 | 十 | 才 | 木 | 栌 | 相 | 相 | 相 | 相 | 相 | 想
 | 想 | 想 | | | | | | | | | |
吧 | ᐟ | ᑊᐤ | 口 | 口¬ | 口刀 | 口刀 | 吧 | | | |
做 | ノ | イ | 亻 | 什 | 什 | 估 | 估 | 估 | 估 | 做 | 做

Lǐ Xiǎolóng
李小龙

单元小结

1. 某人＋是＋不是＋名词？

例句：他是不是画家？

姐姐是不是学生？

哥哥是不是英国人？

2. 某人＋（不）是＋名词

例句：他是画家。

我不是英国人。

姐姐不是学生。

3. 某人＋不是＋名词，是＋名词

例句：他不是教师，是工程师。

姐姐不是中国人，是英国人。

4. 某人＋动词＋不＋动词＋名词？

例句：爸爸喝不喝咖啡？

小海去不去图书馆？

5. 某人＋在＋哪儿＋动词？

例句：他在哪儿工作？

爸爸在哪儿喝茶？

你妈妈在哪儿工作？

6. 某人＋在＋某处＋动词（词组）

例句：他在商店工作。

爸爸在厨房喝茶。

我妈妈在学校工作。

7. 某人＋（不）想＋做＋职业

例句：我想做演员。

哥哥想做工程师。

小红不想做科学家。

8. 某人＋是＋名词＋吧？

例句：您是演员吧？

小海是学生吧？

你爸爸是医生吧？

9. 某人＋想＋做＋职业＋吗？

例句：你想做画家吗？

小海想做演员吗？

Occupational Experience

Parents in China consider the education of their children to be of tremendous importance. In addition to acquiring culture and knowledge in a classroom setting, Chinese children take part in a number of social activities in order to develop their social abilities. In primary school, students will take turns to be on duty for the day, collecting homework, cleaning the classroom and other areas of the school or working at the library after school. Some middle school students maintain their own websites, while others publish their own magazines or newspapers. Other students participate in charities organized by the school or by parents.

Occupational experience centres for children have been set up in some of China's major cities for children to play the roles of adults in different occupations. Through lively activities and under the guidance of professional teachers, the children can cultivate themselves for their ideal vocations and shape their own futures.

Unit Seven　Hobbies
第七单元　爱好

第十九课 你的爱好是什么

Learning Objectives

- Ask about someone's hobby.
- Talk about hobbies and interests.

New Words

1. àihào 爱好 hobby; interest
2. yīnyuè 音乐 music
3. diànnǎo 电脑 computer
4. yóuxì 游戏 game
5. shàngwǎng 上网 to be online
6. yùndòng 运动 sports; athletics
7. tā de 他的 his
8. wǒmen de 我们的 our

Sentence Patterns

1. Nǐ de àihào shì shénme? 你的爱好是什么?
2. Wǒ de àihào shì yīnyuè. 我的爱好是音乐。
3. Nǐ xǐhuan diànnǎo yóuxì ma? 你喜欢电脑游戏吗?
4. Wǒ xǐhuan diànnǎo yóuxì. 我喜欢电脑游戏。

1. Number the pictures in the order that you hear.

①

2. Read aloud.

yùndòng	yùndòngchǎng	qù yùndòngchǎng
运动	运动场	去运动场

diànnǎo	diànnǎo yóuxì	shàngwǎng
电脑	电脑游戏	上网

wǒ de àihào	tā de àihào	wǒmen de àihào
我的爱好	他的爱好	我们的爱好

Wǒ de àihào shì yīnyuè, tā de àihào shì yùndòng.
我的爱好是音乐，他的爱好是运动。

3. Listen and match.

Lìlì 丽丽   Xiǎohǎi 小海   Jim   Ann

4. Complete the dialogues according to the pictures below.

Nǐ de àihào shì shénme?
1) A：你的爱好是什么？
   Wǒ de àihào shì yīnyuè.
   B：我的爱好是音乐。

Tā de àihào
2) A：他的爱好_____？
   Tā de àihào
   B：他的爱好_____。

3)　A：<ruby>他的<rt>Tā de</rt></ruby>＿＿＿＿＿＿？

　　B：＿＿＿＿＿＿＿＿。

 5. Read and match.

1)　<ruby>我的爱好<rt>wǒ de àihào</rt></ruby>　　　　　　　　　a)　like sports

2)　<ruby>电脑游戏<rt>diànnǎo yóuxì</rt></ruby>　　　　　　　　　b)　Do you like music?

3)　<ruby>喜欢 运动<rt>xǐhuan yùndòng</rt></ruby>　　　　　　　　c)　my hobby / interest

4)　<ruby>你喜欢音乐吗？<rt>Nǐ xǐhuan yīnyuè ma?</rt></ruby>　　　　d)　What is his hobby?

5)　<ruby>他的爱好是什么？<rt>Tā de àihào shì shénme?</rt></ruby>　　e)　computer games

 6. Translate the following sentences.

1)　<ruby>你的爱好是什么？<rt>Nǐ de àihào shì shénme?</rt></ruby>

2)　<ruby>我的爱好是 运动。<rt>Wǒ de àihào shì yùndòng.</rt></ruby>

3)　<ruby>你喜欢电脑游戏吗？<rt>Nǐ xǐhuan diànnǎo yóuxì ma?</rt></ruby>

4)　<ruby>我喜欢电脑，也喜欢电脑游戏。<rt>Wǒ xǐhuan diànnǎo, yě xǐhuan diànnǎo yóuxì.</rt></ruby>

5)　<ruby>小海喜欢运动，小红 也喜欢运动。<rt>Xiǎohǎi xǐhuan yùndòng, Xiǎohóng yě xǐhuan yùndòng.</rt></ruby>

6)　<ruby>我的爱好是音乐，他的爱好也是音乐。<rt>Wǒ de àihào shì yīnyuè, tā de àihào yě shì yīnyuè.</rt></ruby>

什 丿 亻 仁 什

么 丿 么 么

音 丶 亠 六 立 立 产 咅 音 音

乐 一 匚 乐 乐 乐

第二十课 你会打网球吗

Learning Objectives

- Ask and talk about abilities.
- Talk about sports.

New Words

1. 会 huì can; to be able to
2. 打 dǎ to play
3. 网球 wǎngqiú tennis
4. 篮球 lánqiú basketball
5. 游泳 yóuyǒng to swim
6. 运动员 yùndòngyuán athlete

Sentence Patterns

1. 你会打网球吗？ Nǐ huì dǎ wǎngqiú ma?
2. 我会打网球。 Wǒ huì dǎ wǎngqiú.
3. 我不会打篮球。 Wǒ bú huì dǎ lánqiú.
4. 他是篮球运动员。 Tā shì lánqiú yùndòngyuán.

1. Mark what you hear in the recording.

2. Read aloud.

| yùndòng 运动 | wǎngqiú 网球 | lánqiú 篮球 | yóuyǒng 游泳 | dǎ wǎngqiú 打网球 | dǎ lánqiú 打篮球 |

huì dǎ wǎngqiú 会打网球 bú huì dǎ wǎngqiú 不会打网球

yùndòngyuán 运动员 lánqiú yùndòngyuán 篮球运动员 yóuyǒng yùndòngyuán 游泳运动员

3. **Listen and match.**

 4. **Complete the dialogues according to the pictures below.**

Nǐ shì yùndòngyuán ma?
你是 运动员 吗？

Wǒ bú
我不＿＿＿＿＿＿＿＿。

Nǐ huì yóuyǒng ma?
你会 游泳 吗？

Wǒ ＿＿＿＿＿, nǐ ne?
我＿＿＿＿＿，你呢？

Wǒ yě
我也＿＿＿＿＿＿＿。

Ni huì
你会_____?

Wǒ bú _____, nǐ ne?
我不_____，你呢?

_____。

5. Read and match.

dǎ wǎngqiú
1) 打网球

yùndòngyuán
2) 运动员

lánqiú yùndòngyuán
3) 篮球运动员

Tā huì dǎ lánqiú.
4) 他会打篮球。

Wǒ bú huì dǎ wǎngqiú.
5) 我不会打网球。

Nǐ huì yóuyǒng ma?
6) 你会游泳吗?

Nǐ xiǎng zuò yùndòngyuán ma?
7) 你想做运动员吗?

a) athlete

b) play tennis

c) Can you swim?

d) basketball player

e) He can play basketball.

f) Do you want to be an athlete?

g) I don't know how to play tennis.

6. Translate the following sentences.

Wǒ huì dǎ wǎngqiú, yě huì dǎ lánqiú.
1) 我会打网球，也会打篮球。

Wǒ jiào Lìli, wǒ de àihào shì yīnyuè.
2) 我叫丽丽，我的爱好是音乐。

Mary bù xǐhuan wǎngqiú, yě bù xǐhuan diànnǎo yóuxì.

3) Mary不喜欢网球，也不喜欢电脑游戏。

Tā de àihào shì yùndòng, tā huì yóuyǒng, yě huì dǎ wǎngqiú.

4) 他的爱好是运动，他会游泳，也会打网球。

Tā shì lánqiú yùndòngyuán, tā de gēge yě shì lánqiú yùndòngyuán.

5) 他是篮球运动员，他的哥哥也是篮球运动员。

7. Write the characters.

会　丿　人　人　今　会　会

打　一　丁　扌　扌　打

网　丨　冂　冂　冈　网　网

球　一　二　干　王　王　玎　玎　玏　球　球

球

第二十一课 我天天看电视

Learning Objectives

- Talk about habits.
- Talk about TV programs and movies.

Wǒ tiāntiān kàn diànshi.
我天天看电视。

Diànshì jiémù hěn hǎokàn.
电视节目很好看。

New Words

1. kàn
   看　to look, to watch, to see

2. diànshì
   电视　TV

3. diànyǐng
   电影　film, movie

4. tiāntiān
   天天　every day

5. hǎokàn
   好看　nice, interesting

6. jiémù
   节目　(TV) program

Sentence Patterns

1. Wǒ tiāntiān kàn diànshì.
   我天天看电视。

2. Jīntiān de diànshì jiémù hǎokàn ma?
   今天的电视节目好看吗?

3. Diànshì jiémù hěn hǎokàn.
   电视节目很好看。

4. Wǒ bù xiǎng kàn diànyǐng.
   我不想看电影。

1. Number the words in the order that you hear.

jiémù
节目 _____

diànnǎo
电脑 _____

shàngwǎng
上网 _____

diànshì
电视 _____

diànyǐng
电影 _____

tiāntiān
天天 _____

hǎokàn
好看 _____

jīntiān
今天 _①_

2. Read aloud.

diànshì
电视

diànyǐng
电影

kàn diànshì
看电视

kàn diànyǐng
看电影

Diànyǐng hěn hǎokàn.
电影很好看。

Diànshì hěn hǎokàn.
电视很好看。

Diànshì jiémù hěn hǎokàn.
电视节目很好看。

tiāntiān kàn diànshì
天天看电视

tiāntiān kàn diànyǐng
天天看电影

tiāntiān dǎ lánqiú
天天打篮球

Tā tiāntiān yóuyǒng.
他天天游泳。

3. Listen and choose.

1) Xiǎohǎi xǐhuan shénme?　Lìlì xǐhuan shénme?
  小海喜欢什么？丽丽喜欢什么？

	diànyǐng 电影	diànshì 电视	tiāntiān kàn diànyǐng 天天看电影	tiāntiān kàn diànshì 天天看电视
	✔			

2) Ann xiǎng zuò shénme?　Mike xiǎng zuò shénme?
  Ann 想做什么？Mike 想做什么？

	xiǎng kàn diànshì 想看电视	bù xiǎng kàn diànshì 不想看电视	xiǎng qù túshūguǎn 想去图书馆
		✔	

4. Complete the dialogues according to the pictures below.

1) Tā de àihào shì shénme?
  A: 他的爱好是什么？

  Tā de àihào shì kàn diànyǐng,
  B: 他的爱好是看电影，

  tā tiāntiān kàn diànyǐng.
  他天天看电影。

2) A: Tā xǐhuan
他喜欢_____吗? ma?

B: Tā xǐhuan
他喜欢_____，他_____。 tā

3) A: Jīntiān de
今天的_____好看吗? hǎokàn ma?

B: Jīntiān de
今天的_____。

5. Read and match.

1) kàn diànshì
看电视 ——————— a) watch TV

2) Zhōngguó diànyǐng
中国电影 b) Chinese film

3) zuótiān de diànshì jiémù
昨天的电视节目 c) watch films every day

4) Diànshì jiémù hěn hǎokàn.
电视节目很好看。 d) He likes Chinese films.

5) Tā xǐhuan Zhōngguó diànyǐng.
他喜欢中国电影。 e) yesterday's TV program

6) tiāntiān kàn diànyǐng
天天看电影 f) The TV program is very good.

6. Translate the following sentences.

1) Zhège diànyǐng hěn hǎokàn.
这个电影很好看。

2) Wǒ xǐhuan kàn diànshì, wǒ tiāntiān kàn diànshì.
我喜欢看电视，我天天看电视。

3) Nǐ kàn diànshì ma? Jīntiān de diànshì jiémù hěn hǎokàn.
你看电视吗？今天的电视节目很好看。

4) Tā bù xǐhuan kàn diànshì, yě bù xǐhuan kàn diànyǐng, tā de àihào shì yùndòng.
他不喜欢看电视，也不喜欢看电影，他的爱好是运动。

7. Practice your pronunciation.

Xiǎoxiǎo yì jiān fáng,
小 小 一 间 房，

Zhǐ yǒu yí shàn chuāng.
只 有 一 扇 窗。

Chuāng nèi hǎo fēngjǐng,
窗 内 好 风 景，

Tiāntiān biàn huāyàng.
天 天 变 花 样。

There is a little room,

With only one window.

From the window there's a beautiful view,

That changes every day.

 8. Write the characters.

看	一	二	三	丢	看	看	看	看	
电	丶	冂	口	曰	电				
节	一	十	艹	节	节				
目	丨	冂	月	月	目				

单元小结

1. 某人＋的＋爱好＋是什么？	例句：你的爱好是什么？ 他的爱好是什么？ 哥哥的爱好是什么？
2. 某人＋的＋爱好＋是＋宾语	例句：我的爱好是音乐。 Jim的爱好是打篮球。 他的爱好是电脑游戏。
3. 某人＋会＋动词（＋宾语)＋吗?	例句：他会游泳吗? 他会打网球吗? 小海会打篮球吗?
4. 某人＋(不)会＋动词（＋宾语)	例句：我会打网球。 他不会游泳。 小海不会打篮球。
5. 某人＋（不）是＋宾语	例句：我是网球运动员。 他不是篮球运动员。 哥哥是游泳运动员。
6. 某人＋天天＋动词（＋宾语)	例句：他天天游泳。 我天天看电视。 爸爸天天打篮球。
7. 某物＋好看＋吗?	例句：电影好看吗? 今天的电视节目好看吗?
8. 某物＋很＋好看	例句：电视节目很好看。 这个电影很好看。
9. 某物＋不＋好看	例句：这个电影不好看。 今天的电视节目不好看。

乒乓球
Table Tennis

China's National Game: Table Tennis

Table tennis, a variant of tennis originally known as "tennis on the table", is a sport which originated in Britain. Table tennis was introduced to China in the early 20th century. It was widely welcomed and soon became a very popular sport. China has produced many world-famous table tennis players and world champions in different table tennis events. As a result, table tennis has become known as the national game of China.

Unit Eight   Transport and Travel
第八单元   交通和旅游

第二十二课 这是火车站

Learning Objectives

- Talk about public places.
- Ask someone where she/he is.

New Words

1. huǒchē 火车 train
2. huǒchēzhàn 火车站 railway station
3. fēijī 飞机 plane
4. jīchǎng 机场 airport
5. diànyǐngyuàn 电影院 cinema
6. fàndiàn 饭店 hotel
7. Tiān'ānmén Guǎngchǎng 天安门广场 Tian'anmen Square

Sentence Patterns

1. Zhè shì huǒchēzhàn.
   这是火车站。
2. Nà shì jīchǎng.
   那是机场。
3. Nǐ zài nǎr?
   你在哪儿?
4. Wǒ zài Tiān'ānmén Guǎngchǎng.
   我在天安门广场。

1. Number the words in the order that you hear.

fàndiàn 饭店 ____	Tiān'ānmén Guǎngchǎng 天安门广场 ____	diànyǐngyuàn 电影院 ____	fēijī 飞机 ____
huǒchē 火车 ____	jīchǎng 机场 ____	xuéxiào 学校 ____	huǒchēzhàn 火车站 ①

2. Read aloud.

huǒchē 火车	huǒchēzhàn 火车站	fēijī 飞机	jīchǎng 机场
diànyǐngyuàn 电影院	fàndiàn 饭店	Tiān'ānmén Guǎngchǎng 天安门广场	

Zhè shì huǒchēzhàn, nà shì jīchǎng.
这是火车站，那是机场。

Zhè shì diànyǐngyuàn, nà shì fàndiàn.
这是电影院，那是饭店。

3. Listen and mark the correct places.

1)

✔

Lìli zài nǎr?
丽丽在哪儿？

Bàba zài nǎr?
爸爸在哪儿？

2)

Xiǎohǎi hé Jim zài …
小海和Jim在……

Xiǎohǎi hé Jim qù …
小海和 Jim去……

4. Complete the dialogues according to the pictures below.

Zhè shì huǒchēzhàn, nà shì
这是火车站，那是

jīchǎng, nǐ qù nǎr?
机场，你去哪儿？

Wǒ qù huǒchēzhàn.
我去火车站。

Wǒ qù yùndòngchǎng.
我去运动场。

Zhè shì túshūguǎn, nà shì
这是图书馆，那是

yùndòngchǎng, nǐ qù nǎr?
运动场，你去哪儿？

Zhè shì _____, nà shì _____
这是_____，那是_____

nǐ qù nǎr?
_____，你去哪儿？

Wǒ qù
我去_____。

_____ ,

_____ ?

_____ 。

Shànghǎi
上海

Xiānggǎng
香港

5. Make dialogues.

Wǒ zài Xiānggǎng, nǐ zài nǎr?
我在香港，你在哪儿？

Wǒ zài Shànghǎi.
我在上海。

Wǒ zài jīchǎng, nǐ zài nǎr?
我在机场，你在哪儿？

Wǒ zài huǒchēzhàn.
我在火车站。

 6. Read and match.

1) 火车 huǒchē   a) hotel

2) 机场 jīchǎng   b) train

3) 飞机 fēijī   c) plane

4) 饭店 fàndiàn   d) airport

5) 电影院 diànyǐngyuàn   e) cinema

6) 火车站 huǒchēzhàn   f) railway station

7) 天安门广场 Tiān'ānmén Guǎngchǎng   g) Tian'anmen Square

7. Translate the following sentences.

1) Nà shi jīchǎng, Lili qù jīchǎng.
那是机场，丽丽去机场。

2) Zhè shi huǒchēzhàn, wǒ zài huǒchēzhàn.
这是火车站，我在火车站。

3) Zhè shi diànyǐngyuàn, Jim zài diànyǐngyuàn.
这是电影院，Jim在电影院。

4) Nà shi Tiān'ānmén Guǎngchǎng, wǒmen qù Tiān'ānmén Guǎngchǎng.
那是天安门广场，我们去天安门广场。

 8. Practice your pronunciation.

Chūn Xiǎo
春 晓

Chūn mián bù jué xiǎo,
春 眠 不 觉 晓，

Chùchù wén tí niǎo.
处 处 闻 啼 鸟。

Yè lái fēng yǔ shēng,
夜 来 风 雨 声，

Huā luò zhī duōshǎo?
花 落 知 多 少？

A Spring Morning

One spring morning I lie in bed,

Waking only when the birds start to sing,

Just one night of wind and showers,

So many fallen flowers!

 9. Write the characters.

火 丶 ⺀ ⺌ 火

车 一 ⺊ 左 车

飞 ㇆ 飞 飞

机 一 十 オ 才 机 机

第二十三课　我坐飞机去

Learning Objectives

- Talk about means of transport.
- Describe how to go somewhere.

New Words

1. 怎么 zěnme **how**
2. 坐 zuò **to travel by; to sit**
3. 汽车 qìchē **bus, car**
4. 汽车站 qìchēzhàn **bus station**
5. 开车 kāichē **to drive**
6. 加拿大 Jiānádà **Canada**
7. 澳大利亚 Àodàlìyà **Australia**
8. 广州 Guǎngzhōu **Guangzhou**

Sentence Patterns

1. 你怎么去上海？ Nǐ zěnme qù Shànghǎi?
2. 我坐飞机去。 Wǒ zuò fēijī qù.
3. 哥哥开车去加拿大。 Gēge kāichē qù Jiānádà.
4. 姐姐想坐火车去广州。 Jiějie xiǎng zuò huǒchē qù Guǎngzhōu.

1. Number the words in the order that you hear.

qìchē 汽车 ____	fēijī 飞机 ____	huǒchē 火车 ①	zěnme 怎么 ____
kāichē 开车 ____	Jiānádà 加拿大 ____	Guǎngzhōu 广州 ____	Shànghǎi 上海 ____
Àodàlìyà 澳大利亚 ____	qìchēzhàn 汽车站 ____		

2. Read aloud.

| qù Běijīng 去北京 | qù Guǎngzhōu 去广州 | qù Jiānádà 去加拿大 | qù Xiānggǎng 去香港 |
| zuò fēijī 坐飞机 | zuò huǒchē 坐火车 | zuò qìchē 坐汽车 | kāichē 开车 |

Zěnme qù Àodàliyà?	Zuò fēijī qù Àodàliyà.
怎么去澳大利亚？	坐飞机去澳大利亚。
Zěnme qù Shànghǎi?	Zuò huǒchē qù Shànghǎi.
怎么去上海？	坐火车去上海。
Zěnme qù Guǎngzhōu?	Zuò qìchē qù Guǎngzhōu.
怎么去广州？	坐汽车去广州。
Zěnme qù Jiānádà?	Kāichē qù Jiānádà.
怎么去加拿大？	开车去加拿大。

Bàba zuò fēijī qù Guǎngzhōu, māma zuò huǒchē qù Shànghǎi.
爸爸坐飞机去广州，妈妈坐火车去上海。

Gēge kāichē qù Běijīng, jiějie zuò qìchē qù Guǎngzhōu.
哥哥开车去北京，姐姐坐汽车去广州。

 3. Listen and match.

bàba　　　　māma　　　　gēge　　　　jiějie
爸爸　　　　妈妈　　　　哥哥　　　　姐姐

4. Complete the dialogues according to the pictures below.

Nǐ zěnme qù Shànghǎi?
你怎么去上海？

Wǒ zuò huǒchē qù.
我坐火车去。

Nǐ zěnme qù Guǎngzhōu?
你怎么去广州?

Wǒ kāichē qù.
我开车去。

Nǐ zěnme qù
你怎么去 ?

Wǒ
我 。

Nǐ zěnme qù
你怎么去 ?

Wǒ zuò qù.
我坐 去。

5. Make dialogues.

Nǐ zěnme qù …?
A: 你怎么去……?

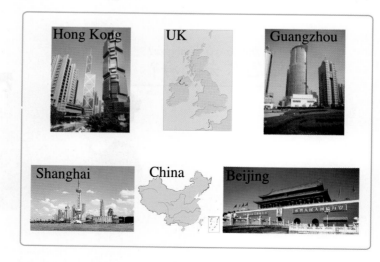

Hong Kong   UK   Guangzhou

Shanghai   China   Beijing

Wǒ ··· qù.
B: 我······去。

6. Read and match.

1) qù Běijīng
   去北京   a) to drive

2) qù Shànghǎi
   去上海   b) go to Beijing

3) qù Guǎngzhōu
   去广州   c) go to Shanghai

4) zuò fēijī
   坐飞机   d) travel by bus

5) zuò huǒchē
   坐火车   e) travel by train

6) zuò qìchē
   坐汽车   f) travel by plane

7) kāichē
   开车   g) go to Guangzhou

 7. Translate the following sentences.

1) Bàba zěnme qù Běijīng? Bàba zuò fēijī qù.
   爸爸怎么去北京？爸爸坐飞机去。

2) Māma zěnme qù Shànghǎi? Māma zuò qìchē qù.
   妈妈怎么去上海？妈妈坐汽车去。

3) Gēge zěnme qù Jiānádà? Gēge kāichē qù.
   哥哥怎么去加拿大？哥哥开车去。

4) Jiějie zěnme qù Guǎngzhōu? Jiějie xiǎng zuò huǒchē qù.
   姐姐怎么去广州？姐姐想坐火车去。

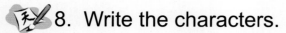 8. Write the characters.

坐 丿 人 从 从 丛 坐 坐

开 一 二 开 开

怎 丿 ⺀ 乍 乍 乍 怎 怎 怎

广 丶 亠 广

第二十四课 汽车站在前边

Learning Objectives

- Talk about locations.
- Ask for directions.

Qǐngwèn, qìchēzhàn zài nǎr?
请问，汽车站在哪儿？

Qìchēzhàn zài qiánbian,
汽车站在前边，
wǎng qián zǒu.
往前走。

New Words

1. 请问 qǐngwèn excuse me
2. 旁边 pángbiān side
3. 前 (边) qián(bian) front
4. 后 (边) hòu(bian) back
5. 左 (边) zuǒ(bian) left
6. 右 (边) yòu(bian) right
7. 往 wǎng to, toward
8. 走 zǒu to go; to walk

Sentence Patterns

1. 请问，汽车站在哪儿？ Qǐngwèn, qìchēzhàn zài nǎr?
2. 汽车站在前边。 Qìchēzhàn zài qiánbian.
3. 往前走。 Wǎng qián zǒu.
4. 机场在左边吗？ Jīchǎng zài zuǒbian ma?

1. Number the words in the order that you hear.

左 ____ zuǒ   右 ____ yòu   后 ____ hòu   前边 ____ qiánbian   旁边 ____ pángbiān

前 ____ qián   往 ____ wǎng   右边 ____ yòubian   左边 ① zuǒbian   后边 ____ hòubian

2. Read aloud.

左边 zuǒbian   右边 yòubian   前边 qiánbian   后边 hòubian   旁边 pángbiān

往前走 wǎng qián zǒu   往左走 wǎng zuǒ zǒu   往右走 wǎng yòu zǒu

汽车站在前边。 Qìchēzhàn zài qiánbian.   火车站在后边。 Huǒchēzhàn zài hòubian.   机场在旁边。 Jīchǎng zài pángbiān.

3. Listen and match.

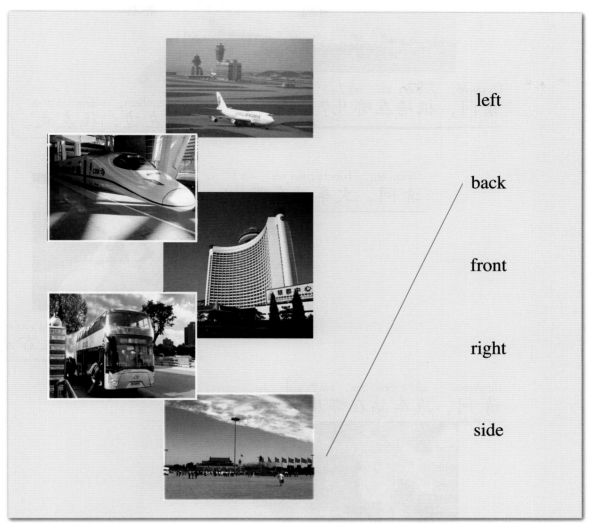

left

back

front

right

side

4. Read the dialogues.

Qǐngwèn, Tiān'ānmén Guǎngchǎng zài nǎr?
请问，天安门广场在哪儿？

Zài qiánbian, wǎng qián zǒu.
在前边，往前走。

Qǐngwèn, jīchǎng zài nǎr?
请问，机场在哪儿？

Zài zuǒbian, wǎng zuǒ zǒu.
在左边，往左走。

Qǐngwèn, huǒchēzhàn zài nǎr?
请问，火车站在哪儿？

Zài yòubian, wǎng yòu zǒu.
在右边，往右走。

Qǐngwèn, qìchēzhàn zài nǎr?
请问，汽车站在哪儿？

Zài pángbiān.
在旁边。

5. Make dialogues.

Qǐngwèn,… zài nǎr?
请问，……在哪儿？

体育馆

图书馆

火车站

汽车站

Zài …, wǎng… zǒu.
在……，往……走。

6. Read and match.

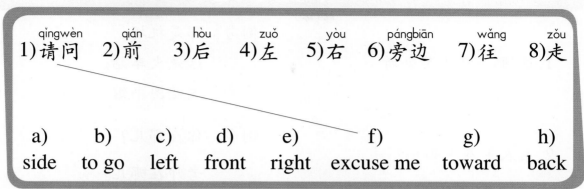

qǐngwèn	qián	hòu	zuǒ	yòu	pángbiān	wǎng	zǒu
1)请问	2)前	3)后	4)左	5)右	6)旁边	7)往	8)走

a)	b)	c)	d)	e)	f)	g)	h)
side	to go	left	front	right	excuse me	toward	back

 7. Translate the following sentences.

Wǒmen qù qìchēzhàn, qìchēzhàn zài qiánbian.
1) 我们去汽车站，汽车站在前边。

Tā qù huǒchēzhàn, huǒchēzhàn zài hòubian.
2) 他去火车站，火车站在后边。

Bàba qù jīchǎng, tā zuò fēijī qù Shànghǎi.
3) 爸爸去机场，他坐飞机去上海。

Jīchǎng zài zuǒbian ma? Jīchǎng zài zuǒbian.
4) 机场在左边吗？机场在左边。

 8. Write the characters.

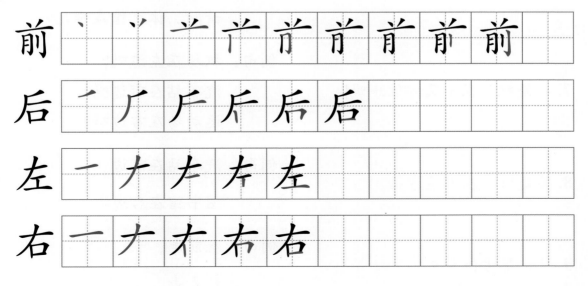

单元小结

1. 这/那＋是＋某处所	例句：那是机场。 这是火车站。 这是图书馆。
2. 某人＋在＋哪儿？	例句：你在哪儿？ 老师在哪儿？
3. 某人＋在＋某处所	例句：我在机场。 爸爸在火车站。 老师在图书馆。
4. 某人＋怎么＋去＋某地？	例句：你怎么去上海？ 他怎么去北京？ 哥哥怎么去香港？
5. 某人＋坐＋某种交通工具＋去（某地）	例句：我坐飞机去。 妈妈坐汽车去上海。 哥哥坐火车去香港。
6. 请问，某处所＋在＋哪儿？	例句：请问，机场在哪儿？ 请问，汽车站在哪儿？ 请问，体育馆在哪儿？
7. 某处所＋在＋某方位＋吗？	例句：机场在左边吗？ 汽车站在前边吗？ 运动场在右边吗？
8. 某处所＋在＋某方位	例句：汽车站在前边。 图书馆在后边。
9. 往＋某方位＋走	例句：往前走。 往左走。

Public Transportation in China

Buses and taxis are the most important means of public transportation in China's cities. In major cities such as Beijing, Shanghai and Guangzhou, subway lines are in service as well. Cheap, convenient and environmentally friendly, public transportation is the chief choice when people go out.

For long-distance travel, trains, airplanes and long-distance buses are the main options. In recent years, China has pushed the development of a high-speed railway system connecting large and mid-sized cities. The new high-speed trains are comfortable and very fast. For example, a trip from Beijing to Shanghai now takes just a little over four hours and Beijing to Guangzhou takes about eight hours. The high-speed railway system has therefore become a popular means of transportation.

词语表

词语	拼音	英文	课数
A			
爱好	àihào	hobby; interest	19
澳大利亚	Àodàlìyà	Australia	23
B			
八	bā	eight	6
爸爸	bàba	father	4
吧	ba	(a modal particle, indicating conjecture or assumption)	18
班	bān	class	11
半	bàn	half	13
北京	Běijīng	Beijing	3
不	bù	no; not	4
C			
菜	cài	vegetable (s)	9
茶	chá	tea	8
吃	chī	to eat	7
厨房	chúfáng	kitchen	6
D			
打	dǎ	to play	20
大	dà	big, large	6
的	de	(a structural particle)	14
点	diǎn	o'clock	13
电脑	diànnǎo	computer	19
电视	diànshì	TV	21
电影	diànyǐng	film; movie	21
电影院	diànyǐngyuàn	cinema	22
E			
二	èr	two	5
二十	èrshí	twenty	11

F

法文	Fǎwén	French (language)	10
饭店	fàndiàn	hotel	22
房间	fángjiān	room	6
房子	fángzi	house	6
飞机	fēijī	plane	22

G

哥哥	gēge	elder brother	4
个	gè	(a measure word)	6
工厂	gōngchǎng	factory	17
工程师	gōngchéngshi	engineer	16
工人	gōngrén	worker	16
工作	gōngzuò	to work	17
狗	gǒu	dog	5
广州	Guǎngzhōu	Guangzhou	23
国	guó	nation, country	2
果汁	guǒzhī	juice	8

H

海鲜	hǎixiān	seafood	9
好	hǎo	good, fine	1
好看	hǎokàn	nice, interesting	21
号	hào	date	14
喝	hē	to drink	7
很	hěn	very	1
后 (边)	hòu(bian)	back	24
护士	hùshi	nurse	17
画家	huàjiā	artist	16
会	huì	can; to be able to	20
火车	huǒchē	train	22
火车站	huǒchēzhàn	railway station	22

J

机场	jīchǎng	airport	22
鸡蛋	jīdàn	egg	7
几	jǐ	how many	13
家	jiā	home	3
加拿大	Jiānádà	Canada	23

叫	jiào	to call; to be called	2
教师	jiàoshī	teacher	16
教室	jiàoshì	classroom	12
节目	jiémù	(TV) program	21
姐姐	jiějie	elder sister	4
今天	jīntiān	today	15
九	jiǔ	nine	6

K

咖啡	kāfēi	coffee	7
开车	kāichē	to drive	23
看	kàn	to look, to watch, to see	21
科学家	kēxuéjiā	scientist	18
课	kè	class; lesson	10

L

篮球	lánqiú	basketball	20
冷	lěng	cold	15
礼堂	lǐtáng	assembly hall	12
两	liǎng	two	5
六	liù	six	5

M

妈妈	māma	mother	4
吗	ma	(a modal particle, indicating a question)	1
猫	māo	cat	5
没有	méiyǒu	not to have	10
美国	Měiguó	the USA	2
米饭	mǐfàn	cooked rice	9
面包	miànbāo	bread	7
面条儿	miàntiáor	noodles	9

N

哪	nǎ	Which ...?	2
哪儿	nǎr	Where ...?	3
那	nà	that	4
男	nán	male	11
呢	ne	(a modal particle, indicating a tag question)	8
你	nǐ	you	1

你的	nǐ de	your	14
你好	nǐ hǎo	hello	1
您	nín	you (formal)	18
牛奶	niúnǎi	milk	7
牛肉	niúròu	beef	9
女	nǚ	female	11

P

旁边	pángbiān	side	24
苹果	píngguǒ	apple	8

Q

七	qī	seven	6
汽车	qìchē	bus	23
汽车站	qìchēzhàn	bus station	23
汽水	qìshuǐ	soft drink	8
前 (边)	qián(bian)	front	24
请问	qǐngwèn	excuse me	24
去	qù	to go	12

R

热	rè	hot	15
人	rén	people, person	2

S

三	sān	three	5
商店	shāngdiàn	store, shop	17
商人	shāngrén	businessman	16
上海	Shànghǎi	Shanghai	3
上网	shàngwǎng	to be online	19
什么	shénme	What ...?	2
生日	shēngrì	birthday	14
十	shí	ten	6
十一	shíyī	eleven	11
是	shì	to be	2
售货员	shòuhuòyuán	salesperson, assistant	17
水果	shuǐguǒ	fruit	8
司机	sījī	driver, chauffeur	17
四	sì	four	5
岁	suì	year (of age)	14

T

他	tā	he, him	3
他的	tā de	his	19
体育	tǐyù	P.E.	10
体育馆	tǐyùguǎn	gym	12
天安门广场	Tiān'ānmén Guǎngchǎng	Tian'anmen Square	22
天天	tiāntiān	every day	21
图书馆	túshūguǎn	library	12

W

网球	wǎngqiú	tennis	20
往	wǎng	to, toward	24
我	wǒ	I, me	1
我的	wǒ de	my	14
我们	wǒmen	we, us	11
我们的	wǒmen de	our	19
五	wǔ	five	5

X

喜欢	xǐhuan	to like	9
现在	xiànzài	now	13
香港	Xiānggǎng	Hong Kong	3
想	xiǎng	to want; would like to	18
小	xiǎo	small	5
校长	xiàozhǎng	headmaster; principal	17
星期	xīngqī	week	10
学生	xuéshēng	student	11
学校	xuéxiào	school	17

Y

演员	yǎnyuán	actor or actress	18
要	yào	to want; to need	8
也	yě	also, too	9
一	yī	one	5
医生	yīshēng	doctor	16
医院	yīyuàn	hospital	17
音乐	yīnyuè	music	19
英国	Yīngguó	the UK	2
英文	Yīngwén	English (language)	10
游戏	yóuxì	game	19

游泳	yóuyǒng	to swim	20
有	yǒu	to have	5
右(边)	yòu(bian)	right	24
鱼	yú	fish	9
月	yuè	month	14
运动	yùndòng	sports; athletics	19
运动场	yùndòngchǎng	sports ground	12
运动员	yùndòngyuán	athlete	20

Z

在	zài	to be in/at/on	3
早上	zǎoshang	morning	7
怎么	zěnme	how	23
这	zhè	this	4
只	zhī	(a measure word)	5
中国	Zhōngguó	China	2
中文	Zhōngwén	Chinese (language)	10
走	zǒu	to go; to walk	24
昨天	zuótiān	yesterday	15
左(边)	zuǒ(bian)	left	24
作家	zuòjiā	writer	18
坐	zuò	to travel by; to sit	23
做	zuò	to be; to become; to do	18

写字笔顺规则表

guīzé 规则	lìzì 例字	bǐshùn 笔顺		
xiān héng hòu shù 先横后竖	十	一	十	
	下	一	丁	下
xiān piě hòu nà 先撇后捺	人	丿	人	
	天	二	天	
xiān shàng hòu xià 先上后下	三	一	二	三
	足	口	呈	足
xiān zuǒ hòu yòu 先左后右	红	纟	红	
	你	亻	你	
xiān wài hòu nèi 先外后内	月	刀	月	
	肉	冂	肉	
xiān nèi hòu wài 先内后外	山	丨	山	
	这	文	这	
xiān zhōngjiān hòu liǎngbiān 先中间后两边	小	亅	小	小
	水	亅	기	水
xiān lǐtou hòu fēngkǒu 先里头后封口	日	冂	冃	日
	四	冂	四	四